English – Arabic Modern Dictionary of Idioms and Common Expressions

(Over 3000 entries with examples, cross-referencing, and annotations)

القاموس العصري إنجليزي - عربي للاصطلاحات والتعبيرات الشائعة

(أكثر من 3000 مدخل مع أمثلة وتوجيب وتعليقات)

Mohamad Anwar, M.Sc., CHI

First Edition
2014

(ISBN-10: 0-9894089-0-6)

(ISBN-13: 978-0-9894089-0-5)

(Dedication) إهداء

إلى أمي وأبي

To my mother and Father,

أهدي هذا العمل المتواضع

I dedicate this humble work

محمد أنور
Mohamad Anwar
مينيسوتا – الولايات المتحدة
Minnesota – USA
2014

بسم الله الرحمن الرحيم

مقدمة (Introduction)

يسرني أن أقدم لحضراتكم القاموس الحديث للاصطلاحات (التعبيرات الاصطلاحية) والتعبيرات الشائعة (إنجليزي – عربي) راجياً أن يساعد جمهور الناطقين بالعربية على تعلم الاصطلاحات (التعبيرات الاصطلاحية) والتعبيرات الشائعة في اللغة الإنجليزية المعاصرة ومدلولاتها ومعانيها المقابلة في اللغة العربية. وأطمح أن يكون عملي المتواضع هذا ذا فائدةٍ مباشرةٍ لطلاب المدارس والجامعات والدراسات العليا من الناطقين بالعربية والذين تتطلب مجالات دراساتهم إلماماً مسهباً باللغة الإنجليزية وما تحتويه من اصطلاحات (تعبيرات اصطلاحية) وتعبيرات شائعة. وغني عن الذكر أن هذا القاموس يرجى أن يكون ذا فائدةٍ خاصةٍ لزملائي المترجمين التحريرين والشفويين الذين تتطلب مهام عملهم إلماماً مستفيضاً بما تعنيه الاصطلاحات (التعبيرات الاصطلاحية) والتعبيرات الشائعة في اللغة الإنجليزية المعاصرة ومدلولاتها ومعانيها المقابلة في اللغة العربية. إضافةً للجمهور الأصلي من الناطقين بالعربية فإني أرجو أن يكون هذا القاموس ذا فائدةٍ لطلاب اللسانيات واللغويات المهتمين باللغة العربية.

الاصطلاح (التعبير الاصطلاحي) ببساطة هو تعبير ذو معنى كلي خاص بنفسه لا علاقة له بالمعاني الجزئية لكلماته. على سبيل المثال: (.John **threw the red carpet** for his fiancé when she came to visit). المقصود هنا أن جون "**احتفى**" بخطيبته عندما جاءت لزيارته وليس المقصود هنا المعنى الحرفي من أنه أتى ببساطٍ أحمرٍ وألقاه تحت قدميها. برجاء ملاحظة أن المصدر الإنجليزي للتعبير قد يكون ذا علاقة بتقليد مد بساطٍ أحمرٍ لمن يُحتفى به ولكن مع مرور الوقت وتطور الحياة اختفى التقليد المتبع وبقيت الكلمات الدالة عليه. لابد أن أعترف هنا أن هذا الجزء الخاص بنشأة الاصطلاحات (التعبيرات الاصطلاحية) لم يُتطرق إليه في هذا المجلد وقد يكون فكرةً جيدةً لبحثٍ لاحقٍ.

يمكن تقسيم الاصطلاحات (العبارات الاصطلاحية) والتعبيراتِ الشائعة لعدة أقسامٍ اعتماداً على تكوينها فعلى سبيل المثال هناك الاصطلاحات المفرداتية أو المعجمية Lexemic Idioms مثل الاصطلاحات الفعلية (يَتدربُ work out) أو الإسمية (يُشيرُ لاقتباسٍ air quotes) أو النعتية (أسودٌ يَشوبه البياضُ pepper and salt) أو الظرفية (بِسهولةٍ ، بِيُسرٍ like a breeze) وهناك أيضاً أنواع أخرى أكثر تعقيداً. لم يعنِ هذا المجلد كثيراً بتصنيف الاصطلاحات (العبارات الاصطلاحية) ولكن جل تركيزه انصب على تجميع وتوجيب المدخلات.

بدأ اهتمامي -أو هوسي إن صح التعبير- بالاصطلاحات (التعبيرات الاصطلاحية) منذ أن بدأت بتعلم اللغة الإنجليزية في الصف الأول الابتدائي في بلدي الأصلي مِصْر ولفت نظري الكم الهائل الآخذ في الزيادة دوماً من الاصطلاحات (التعبيرات الاصطلاحية) التي يستخدمها الناطقون باللغة الإنجليزية لاسيما الأمريكيون منهم في حياتهم اليومية وفي معاملاتهم. لقد فكرت في البدء بتأليف هذا المجلد منذ أكثر من عقدٍ كاملٍ بعد أن تنامى ما جمعته من اصطلاحات (تعبيرات اصطلاحية) إلى قرابة 500 مدخلٍ إلا أن بحثي المبدئي نما عندي القناعة باستحالة انجاز هذا العمل نظراً للعدد الهائل من المدخلات المحتملة والحاجة لتبويبها وتوجيبها (إسنادها ترافقياً cross referencing) ومراجعتها. وفي بداية عام 2008 ميلادية وبعد أن تحصلت على نسخ للعديد من المراجع النادرة وأمهات الكتب العربية اتخذت قراري بالبدء في وضع هذا المجلد وتوكلت على الله سائلاً عونه.

لقد استغرقني هذا العمل المتواضع ما يزيد عن خمس سنواتٍ من بداية التجميع الفعلي لمدخلات هذا القاموس وحتى الوصول للعدد المنشود من المدخلات (ما يزيد عن 10000 مدخلٍ أصليٍّ). ثم قضيت عاماً آخراً أعمل على ترتيب وتنقيح وتبويب المدخلات والذي قررت فيه تجميع المدخلات المتشابهة في مدخلٍ واحدٍ وأيضاً إضافة التوجيب بعد كل مدخلٍ حيث أمكن (العدد الحالي من المدخلات في هذا القاموس حوالي 3000 مدخلٍ). وبعد ذلك عهدت إلى زميلتي الأستاذة\ فايزة سلطان وطاقم الترجمة التحريرية بشركتها (Translation4all) بمهمة مراجعة النص العربي وتصحيحه كما عهدت لزميلي وأستاذي

الأستاذ الدكتور\ بروس دوننج (Prof. Dr. Bruce Downing) بمهمة مراجعة وتصحيح النص الإنجليزي وأنا هنا لا يسعني المقام أن أوفيهما حقهما من الشكر الواجب على كل المجهود والنصح والذين لم يبخلا بهما علي طوال عملنا معاً أو حتى بعد إتمامهما عملهما.

لقد لاقيت تحدياتٍ صعبةً أثناء اضطلاعي بمهمة تأليف هذا المرجع:

أولاً كان هناك التحدي الأساسي المتمثل في عدم وجود مراجع كافية في اللغة العربية والتي تعالج هذا الموضوع وأيضاً عدم توفر أي مرجع أو قاموس إنجليزي – عربي تحت الطبع في الوقت الحاضر على الإطلاق في أمريكا الشمالية والذي يختص بالاصطلاحات (التعبيرات الاصطلاحية) والتعبيرات الشائعة مما تطلب مني بحثاً مستفيضاً ومن نقطة الصفر فيما يخص التجميع الأولي للمدخلات.

ثانياً فإن عدد الاصطلاحات (التعبيرات الاصطلاحية) في اللغة الإنجليزية المعاصرة يربو وحده على 25000 اصطلاحاً (تعبيراً اصطلاحياً) ناهيك عن العدد الكبير من التعبيرات الشائعة مما تطلب وحده خمس سنواتٍ لحصر أهم المدخلات من أهم المصادر.

ثالثاً فإن هذا العدد من الاصطلاحات (التعبيرات الاصطلاحية) والتعبيرات الشائعة آخذٌ في التنامي بشكلٍ فعالٍ بما تضيفه مجالات السياسة والاقتصاد والتجارة والفنون والرياضة كل يومٍ مما عقد من مهمتي حيث وجدتني ملزماً بإضافة مدخلٍ أو مدخلين جديدين كل يومٍ بعد أن ظننت أن مهمة التجميع الأولي قد انتهت.

رابعاً التحدي الخاص بتحديد محلية (locale) الاصطلاحات (التعبيرات الاصطلاحية) والتعبيرات الشائعة فما قد يكون شائعاً في الولايات المتحدة على سبيل المثال قد لا يكون بالضرورة شائعاً في كل بلدٍ يتحدث الإنجليزية كلغة أولى والعكس بالعكس. لقد استخدمت (*Am*) بجوار مدخلٍ للتعبير عن شيوع هذا الاصطلاح (التعبير الاصطلاحي) في الولايات المتحدة فقط بشكلٍ أساسيٍ وليس في كل البلدان الناطقة بالإنجليزية كلغةٍ أولى واستخدمت (*Br*) للمملكة المتحدة لنفس الغرض و(*Au*) لأستراليا و(*Sa*) لجنوب أفريقيا و(*Nz*) لنيوزيلندا. تحديد المحلية أمرٌ صعبٌ وآخذٌ في الصعوبة نظراً لتحول العالم لقريةٍ صغيرةٍ مع تطور النمو التقني والتوسع في استخدام الإنترنت في كل مكان.

خامساً التحدي الخاص باختيار بعض الاصطلاحات (التعبيرات الاصطلاحية) والتعبيرات الشائعة الهامة والتي لا يجوز لأي مرجعٍ وافي أن يخلو منها عندما تكون دارجةً أو سوقيةً. لقد آليت على نفسي ألا يضم قاموسي هذا أي اصطلاحاتٍ (تعبيراتٍ اصطلاحيةٍ) أو تعبيراتٍ سوقيةٍ إلا بأقل قدرٍ يحفظ للمرجع استيفاءه للمدخلات التي لا يجوز لأي مرجعٍ كافٍ أن يخلو منها ولقد استخدمت (*S*) للتعبير عن مدخلٍ دارجٍ واستخدمت (*V*) للتعبير عن مدخلٍ سوقيٍ.

سادساً نظراً لاستحالة الإلمام عملياً بكل الاحتمالات اللغوية الدارجة أو السوقية في كل بلد عربي والتي تقابل كل مصطلح (تعبير اصطلاحي) إنجليزي ونظراً لشدة سوقية بعضها فقد اتخذت قراري بالا يشتمل مجلدي هذا على أي لفظٍ عربيٍ دون الفصحى حتى وإن كان المدخل الإنجليزي الأصلي دارجاً أو سوقياً. في هذه الحالة فقد اكتفيت بالإشارة لكون المدخل الإنجليزي دارجٌ أو سوقيٌ مع التزامي باستخدام المقابل العربي الفصيح.

سابعاً بعض التعبيرات الاصطلاحية قد يكون لها معناً حرفياً وآخر مجازياً وفي هذه الحالة فقد ذكرت كليهما مع الإشارة لأيهما حرفيٌ وأيهما مجازيٌ. برجاء ملاحظة أنه من باب إتمام هذا المجلد فقد ارتأيت أن أضيف أيضاً بعض الاصطلاحات الفعلية المهمة مع اكتفائي بذكر معانيها الاصطلاحية فقط دون الخوض في العديد من معانيها الحرفية.

طريقة الاستعمال (How to use)

<u>kick</u> *<u>someone</u>* **<u>out</u>** **(see "<u>boot</u>** *<u>someone</u>* **<u>out</u>")** — **يُسَرِّحُهُ من الخدمة ، يَفْصِلُهُ من عمله**

*لاحظ ذكر المقابلات المجازية فقط دون ذكر المقابلات الحرفية للاصطلاحات الفعلية (أنظر **<u>سابعاً</u>**).

لاحظ أن الكلمات الأساسية والتي يتكون منها المدخل الإنجليزي مكتوبة بالبنط الكبير (<u>bold font</u>**) وموضوع تحتها خط وأيضاً لاحظ التوجيب (cross referencing).

***لاحظ أن كلمة (*<u>someone</u>*) جزء أصيل في الاصطلاح (التعبير الاصطلاحي) و لذلك فقد وضع تحتها خط مع الكلمات الأخرى المكونة للاصطلاح (التعبير الاصطلاحي) وعند استخدام هذا الاصطلاح (التعبير الاصطلاحي) فسيتم استبدالها بـ (**<u>proper name(s)</u>**, **<u>me</u>**, **<u>him</u>**, **<u>her</u>**, **<u>us</u>**, **<u>you</u>**, or **<u>them</u>**).

<u>like a bat out of Hell</u> **(see "<u>like a house (afire / on fire)</u>")** — **بسرعةٍ خاطفةٍ ، بخِفَّةٍ ورشاقةٍ**

*لاحظ أنه عند وجود طريقتين لقول نفس المدخل (**<u>like a house afire</u>** & **<u>like a house on fire</u>**) فقد دمجتهما معاً في مدخلٍ واحدٍ مع وضع الكلمة -أو الكلمات- المُستبدَلة داخل قوسين مبتدئاً بأولهما في الترتيب الأبجدي وليس بأكثرهما شيوعاً.

لاحظ أن المقابلين العربيين المتماثلين مكتوبان بالبنط الكبير (bold font**) وتفصلهما فاصلةٌ (،).

<u>like a moth to a flame</u> — **يَنجذِبُ إلى شخصٍ ، يَتهاوى إلى شيءٍ** (رغماً عنه - عادةً تصف شخصاً مدلهاً بالحب أو مُدْمِناً للمشروباتِ الكحوليةِ)

*لاحظ أن شرح المعنى العربي يوضع بين قوسين ويُكتبُ بالبنط العادي.

<u>load of (cobblers / codswallop)</u> *(Br)* *(S)* — **هُرَاءٌ ، كلامٌ فارغٌ**

*لاحظ محلية هذا المدخل (*Br* for "British") وكونه دارجاً (*S* for "Slang").

make away with *something* (see "make off with *something*")

يَسرقُه <> يُدمرُه ، يُتلفُه <>
يَستهلكُه ، يَلتهمُه (أكلاً أو شُرباً)

*لاحظ أن المقابِلات العربية المتماثلة تفصلها فاصلة (،) في حين أن المقابِلات الغير متماثلة -المختلفة في المعنى- تفصلها العلامة (<>).

**لاحظ أن كلمة (*something*) جزء أصيل في الاصطلاح (التعبير الاصطلاحي) و لذلك فقد وضع تحتها خط مع الكلمات الأخرى المكونة للاصطلاح (التعبير الاصطلاحي) وعند استخدام هذا الاصطلاح (التعبير الاصطلاحي) فسيتم استبدالها بأحد الأشياء.

put one foot in front of the other
(As far as you put one foot in front of the other, everything else will take care of itself.) & (I was so tired that I could hardly put one foot in front of the other.)

يَتصرفُ بتعقلٍ ، يُؤدي عملاً بشكلٍ سليمٍ (معنى مجازي) <> **يَسيرُ بتؤدةٍ ، يَسيرُ بتروٍّ** (معنى حرفي)

*لاحظ ذكر المعنى المجازي أولاً متبوعاً بالمعنى الحرفي.

**لاحظ أن المثال الإنجليزي الذي يبين كيفية استخدام هذا المدخل في جملةٍ أو عبارةٍ يوضع بين قوسين وبالبنط الكبير المائل.

see no further than (*one's* / the end of *one's*) nose

يَكونُ قصيرَ النظرِ ، يَكونُ ضيقَ الأفقِ

*لاحظ أن كلمة (*one's*) جزء أصيل في الاصطلاح (التعبير الاصطلاحي) و لذلك فقد وضع تحتها خط مع الكلمات الأخرى المكونة للاصطلاح (التعبير الاصطلاحي) وعند استخدام هذا الاصطلاح (التعبير الاصطلاحي) فسيتم استبدالها بـ
(**my**, **his**, **her**, **our**, **your**, or **their**)

في النهاية لابد أن أتوجه بالشكر لكل من ساعدني عن قصدٍ أو عن غير قصدٍ (العديد و العديد من مدخلات هذا القاموس سمعتها عرضاً أو التقطها من حوارٍ تليفزيوني أو إذاعيّ) في إتمام هذا المجلد و إخراجه في صورته النهائية وأرجو من أساتذتي وزملائي الأفاضل والذين ستتاح لهم الفرصة أن يستعرضوا ويقيموا عملي المتواضع أن تتسع صدورهم لتقصيري و ضآلة مجهودي البشري الذي استثمرته في هذا المجلد. كما أرجو من الجميع ألا يبخل عليَّ بالنصح و المساعدة على تحسين وتطوير هذا العمل في إصداراته اللاحقة.

محمد أنور
Mohamad Anwar
مينيسوتا – الولايات المتحدة
Minnesota – USA
2014

Author's Biography

Mohamad Anwar was born in Egypt. He earned his M.Sc. in 1995, Certified Healthcare Interpreter (CHI) credentials in 2011, MHA certificate from the University of Minnesota in 2012, and a degree in Translation and Interpreting from Century College, MN in 2014. He taught graduate classes, held different managerial positions, and authored interpreters' training materials. Mohamad is the Treasurer and a member of the Board of Directors, a Commissioner of the accreditation Commission on Medical Interpreter Education (CMIE), and a Mentor of the Certified Interpreters Division and the Arabic Division of the International Medical Interpreters Association (IMIA). In addition, he is a voting member of the American Translators Association (ATA). Mohamad is the director of Language Access Consulting & Training L.L.C. in Minnesota.

Contact Information

Language Access Consulting & Training L.L.C.
1885 University Ave. West # 36
Saint Paul, MN, 55127
Phone: (651) 789-0832
Fax: (651) 315-7687
E-mail: mohamad@languageaccess1.com
Web: http://www.languageaccess1.com

A

a dime a dozen		شيءٌ رخيصٌ ، شيءٌ سهلُ المنالِ
a few (bricks short of a load / bristles short of a broom / cards short of a full deck / clowns short of a circus / colors short of a rainbow / keys short of a piano / players short of a team / sheep short of a flock / ships short of a fleet / threads short of a sweater)	*(S)*	ناقصُ العقلِ ، تنقصُه الكفاءةُ العقليةُ
a hell of a ***(He caught a hell of a fish.) & (She's a hell of a pretty woman.)***	*(Am)*	كبيرٌ جِداً ، لأقصى حدٍّ
à la carte (French)		في اللائحةِ <> كلُّ صنفٍ له سعرُه الخاصُّ
à la mode (French)		متماشٍ مع أحدثِ صيحةٍ ، حديثٌ <> حُلْوٌ يُقدمُ في نهايةِ الوجبةِ يَحتوي على بوظةٍ (آيس كريم)
a leap in the dark		خطوةٌ غيرُ محسوبةٍ ، قفزةٌ في الظلامِ
a lick and a promise		عملٌ بشكلٍ روتينيٍ وبلا حماسةٍ <> تأديةُ واجبٍ فقط

a little bird told me		عَلِمْتُ به من مصدرٍ سريٍ أو خاصٍ
a lot of nerve		جسارةٌ <> وقاحةٌ بالغةٌ
a pop ***(Tickets are $20 a pop.)***	*(S)*	لكلٍ منها ، لكلِّ واحدةٍ ، لكلِّ قطعةٍ
a priori (Latin)		مما سَبَقَ ، فيما سَلَفَ
a tooth for a tooth (see "an eye for an eye")		السِنُ بالسِنِ
(above board / aboveboard)		بلا مواربةٍ ، على المكشوفِ
(absent without leave / AWOL)		غائبٌ بلا عذرٍ ، مُتخلفٌ بدونِ إعذارٍ
(AC / Alpha Charlie) (see "bawl out")	*(Am)* *(S)*	يُوبخُ توبيخاً شديداً ، يَزجُرُ بشدةٍ
accidentally on purpose		عن عَمْدٍ مع التظاهرِ بحدوثِه بشكلٍ عفويٍ
according to Hoyle		تبعاً لأقصى درجاتِ التمحيصِ ، بناءً على رأي أولي العِلم
according to ***one's*** **lights**		بِناءً على رأيِه ، تبعاً لِعلمِه ومبادئِه

ace boom-boom (see "**bosom (buddy / pal)**" & "**best bud**")		*(S)*	**أقربُ الأصدقاءِ ، أفضلُ صديقٍ**
ace (in the hole / up *one's* sleeve)			**ورقةٌ رابحةٌ** (لا يَلعبُها صاحبُها إلاّ في الوقتِ المناسبِ)
acid test			**اختبارٌ صعبٌ ، امتحانٌ قاسٍ** (للتأكدِ من قدراتِ الشخصِ)
acknowledge the corn	*(Am)*		**يَعْتَرِفُ أو يُقِرُّ بالخسارةِ**
across the board			**مُشتملاً الجميع ، بلا استثناءٍ**
(act / play) the giddy goat	*(Br)*	*(S)*	**يَتصرفُ بحماقةٍ**
act *one's* age			**يَتَعَقَّلُ ، يَكونُ رشيداً**
action man			**رَجُلٌ مُفْعَمٌ بالحيويةِ والرجولةِ**
Adam's ale		*(S)*	**الماءُ**
add fuel to the fire (see "**add insult to injury**")			**يَزيدُ من تدهورِ الأمرِ ، يَزيدُ الطينَ بلةً**
add insult to injury (see "**add fuel to the fire**")			**يَتمادى في جرحِ الكبرياءِ ، يَزيدُ الطينَ بلةً**

afraid of *one's* own shadow		رعديدٌ ، جبانٌ ، يَخافُ من ظِلّه
against the clock		في سباقٍ مع الزمنِ
against the grain		مخالفٌ للطَبْعِ
ahead of the game		سَابِقٌ لأقرانه ، مُتَقَدِّمٌ على منافسيه <> أدى المطلوبَ منه وزادَ عليه
aide-mémoire (French)		يُنَشِّطُ الذاكرةَ ، مُقوٍ للذاكرةِ
(aim / reach) for the sky		يَضعُ أهدافاً جَد طموحة لنفسِه ، يَطلبُ العُلا
air kiss & to **air kiss**		قُبْلَة في الهواءِ (للترحيب أو التوديع من مسافة) <> يُلقي بقبلةٍ في الهواءِ
air *one's* belly	*(S)*	يَتقيّأُ
air *one's* pores	*(S)*	يَتعرى ، يَتجردُ من ملابسِه
air quotes		يُشيرُ لاقتباسٍ (رَفعُ إصبعا السبابةِ والوسطى لكلتي اليدين في الهواءِ مع تحريكِهما إشارةً لعلامةِ الاقتباسِ)
airy-fairy	*(S)*	خياليٌ ، غيرُ واقعيٍ ، جميلٌ لدرجةٍ خياليّةٍ

al dente (Italian)

مطهوٌّ جيداً مع الاحتفاظِ بقوامٍ متماسكٍ عند قضمِه (تستخدم عادةً لوَصف المعكرونة أو الخضروات)

al fresco / alfresco (Italian)

في الهواءِ الطلقِ ، في مكانٍ مفتوحٍ (تستخدم عادةً لوَصف مكان تناولِ الطعامِ)

albatross around *one's* neck

هَمٌ ثقيلٌ ملقىً على عاتقِه

alive and kicking

حَيٌّ يُرْزَق

all agog

مُتَحَفِّزٌ ، وَثَّابٌ ، معنوياتُه مرتفعةٌ

all at sea

اختلطَ الحابلُ بالنابلِ

all bark and no bite (see "**more bark than bite**")

ليس سيئاً كما يبدو ، أفضلُ مما هو مُتوقعٌ منه <> تهديدات فارغة

all ears (see "**all eyes**")

يُنْصِتُ باهتمامٍ ، يَستمعُ بشغفٍ ، كله آذانٌ صاغيةٌ

all eyes (see "**all ears**")

بانتباهٍ تامٍ ، بكلِّ اهتمامٍ

all eyes are on *someone or something*

الكل يَترقبُ ما سيحدثُ

ll fingers and thumbs (see "**all humbs**") أَخْرَقٌ ، غيرُ بارعٍ ، غيرُ رشيقٍ

'all het up / het up) *(Am)* *(S)* مُستثارٌ ، مُضطربٌ <> متحمّسٌ

all in all مع أَخْذِ كلِ شيءٍ في الاعتبارِ

all of a sudden فجأةً ، على غيرِ توقّعٍ

all over ***(There was blood all over.) & (I will try all over again to explain it in easier words.) & (His heyday is all over.)*** في كلِّ مكانٍ <> مرَّة أخرى <> انتهى ، تَمَّ الانتهاءُ منه

all over but the shouting النجاحُ مَضمونٌ مئة في المئةِ

all over *someone* **like a cheap suit** *(S)* مُدَلَّهٌ به ، مُغْرَمٌ به ، لا يُطيقُ البعدَ عنه <> متزلفٌ له ، متملقٌ له

all present and (accounted for / correct) (military) الكلُ حاضرٌ ، الجميعُ حضورٌ (أشخاصٌ أو أشياءٌ)

all singing, all dancing مملوءٌ بالحيويةِ والنشاطِ (شخصٌ) <> يَشتملُ على جميعِ المواصفاتِ (شيءٌ)

all that and then some *(S)* كُلُّ ما ذُكِرَ وزيادةٌ عليه

all that meat and no potatoes *(S)* شخصٌ مُفْرِطُ السمنةِ ، امرأةٌ ممتلئةُ القوامِ

all the traffic will bear مغالاةُ شركةٍ في أسعارِ منتجاتِها أو خدماتِها (ولكن في حدودِ الإمكانيةِ الماديةِ للعملاءِ)

all the way لأقصى حَدٍّ ، تماماً ، بشكلٍ كاملٍ

all thumbs (see "**all fingers and thumbs**") أخرقٌ ، تَنقصُه الموهبةُ

all wool and a yard wide حقيقيٌ ، أصليٌ ، غيرُ مُزيفٍ (تستخدم عادةً لوَصف شخصٍ أو لوَصف سلعةٍ أو بضاعةٍ)

(alley / road) apple *(Br)* *(S)* روثُ البعيرِ بالطريقِ ، حَجَرٌ ملقىً بالطريقِ

alley cat شخصٌ مُشَرَّدٌ يَقتاتُ على النُفاياتِ

alphabet soup ***(AKA, ASAP, LOL! What is this alphabet soup?)*** حِساءٌ من الكلماتِ (تشكيلةٌ متنوعةٌ من الكلماتِ أو المُخْتَصَراتِ العسيرةِ الفهمِ)

alter ego (Latin) نَفْسٌ أخرى ، شخصيةٌ بديلةٌ

amber nectar بيرةٌ ، جِعَةٌ ، مِزْرٌ

ambulance chaser		محامٍ يَبحثُ عن ضحايا الحوادثِ للتربحِ من قضاياهم
an act of God		إرادةُ الربِ ، فِعْلٌ يَفوقُ طاقةَ البشرِ
an also-ran		خاسرٌ في مسابقةٍ ، مهزومٌ في منافسةٍ
an arm and a leg		ثروةٌ ، مالٌ طائلٌ
an eye for an eye (see "**a tooth for a tooth**")		العينُ بالعينِ
an R in the month (the cooler months; September through April all have R's)		الجوُّ باردٌ (تستخدم عادةً لوَصف شهورِ البَرْدِ)
anal applause	*(V)*	ضُراطٌ ، رِيحُ البَطنِ
ancient history		أمرٌ لم يَمر على حدوثِه وقتٌ طويلٌ ولكن فترَ الاهتمامُ به
and all that jazz	*(S)*	وكلُّ لوازمِه ، وجميعُ ما يَلزَمُه
(anise and cumin / mint and anise and cumin)	*(S)*	أمورٌ تافهةٌ ، سقطُ متاعٍ
ankle biter	*(S)*	طفلٌ صغيرٌ <> كلبٌ صغيرٌ

annus horribilis (Latin) — سَنَةٌ فظيعةٌ ، عامٌ مشحونٌ بالمآسي

another county heard from — شخصٌ يُنصتُ جيداً لحوارٍ بدون أن يُعَقبَ عليه وفجأة يَتدخَّلُ فيه

answer the final summons — يُلبي نِداءِ رَبه ، يَموتُ

apple of discord — أصلُ النزاعِ ، سببُ الشقاقِ ، مَثارُ الخصومةِ

apple polishing *(Please take your gift back and stop the apple polishing. You didn't do well in the final exam, and you will fail.)* — تَملقٌ ، تَزلفٌ ، مُداهنةٌ (طمعاً في منفعةٍ أو أملاً في التغاضي عن خطأٍ)

armed to the teeth — مدججٌ بالأسلحةِ

arms akimbo — وضعُ اليدين أعلى الوَرِكين مع بروزِ الكوعين للخارجِ (إشارةً للتحدي أو التَمَلْمُلِ)

around the bend *(S)* — مجنونٌ ، مخبولٌ

around the clock — على مدارِ الساعةِ ، بلا انقطاعٍ

artsy-fartsy (see "**arty-farty**") *(Am)* *(S)* — له علاقةٌ سطحيةٌ بالفنونِ ، مُدَّعِي العلم بالفنونِ

arty-farty (see "**artsy-fartsy**") *(Br)* *(S)*	له علاقةٌ سطحيةٌ بالفنونِ ، مُدَّعِي العلمِ بالفنونِ
as **alike as two peas in a pod**	أَشبهُ من البيضةِ بالبيضةِ ، أَشبهُ من التمرةِ بالتمرةِ ، أَشبهُ من الذبابِ بالذبابِ ، أَشبهُ من الغرابِ بالغرابِ ، أَشبهُ من الليلةِ بالليلةِ ، أَشبهُ من الماءِ بالماءِ ، متشابهان تماماً ، طِبْقُ الأصلِ من بعضِهما
as **awkward as a cow on (a crutch / roller skates)**	أَخرقُ من حَمامةٍ ، أَخْرَقٌ جداً
as **bald as a (baby's backside / coot)**	أصلعٌ تماماً
as **big around as a molasses barrel** *(He ate all the pancakes until he was as big around as a molasses barrel.)*	ضَخمٌ ، ممتلئٌ كالبِرميل (تستخدم عادةً لوَصف منطقةِ البطنِ)
as **black as (a crow / a raven's wing / death / Hades / Hell / ink / midnight / Newgate's knocker** *(Br)* **/ one's hat / pitch / soot / tar / the grave / thunder)**	أَسودُ من حَلَكِ الغُرابِ ، أَسْوَدٌ حَالِكُ السَوَاد ، شديدُ السَوَاد
as **blind as a bat**	شديدُ العمى
as **bold as brass**	شَديدُ الجَسارةِ <> وَقِحٌ جداً

as **brown as a berry**

شديد السُمْرَة (تستخدم عادةً لوصفِ تَسَعُّفِ الجلدِ بالشمسِ)

as **busy as a (beaver / bee)**

مشغولٌ جداً ، منهمكٌ تماماً فيما يَفعلُه

as **busy as a hibernating bear**

ليس لديه ما يَشغلُه على الإطلاقِ

as **clean as a whistle**

نظيفٌ جداً

as **clear as crystal**

واضِحٌ جداً ، مفهومٌ لا لبسَ فيه

as **cold as stone**

أبردُ من الثلجِ ، أبردُ من نارِ إبراهيمَ (عليه السلام) ، **باردٌ جداً <> فاقدٌ للمشاعرِ ، مُتبلّدُ الأحاسيسِ**

as **comfortable as an old shoe**

مُريحٌ جداً ، مَألوفٌ تماماً

as **common as (an old shoe / dirt)**

وَضيعٌ ، من بيئةٍ اجتماعيةٍ حقيرةٍ <> فظ السلوكِ ، غيرُ مهذبٍ

as **cool as a cucumber**

هادئٌ ، ساكنٌ ، رابطُ الجَأشِ

as **crazy as a (betsy bug / loon / peach-orchard boar)**

أَجَنَّ من دَقَّةَ (هو دَقَّة بن خارجة ، وكان شديد الجنون فضرب به المثل) ، **مجنونٌ جداً**

as **crooked as a (dog's hind leg / fish hook)**

غيرُ شَريفٍ إلى حدٍ كبيرٍ ، غيرُ أَمينٍ إلى حدٍ كبيرٍ <> مَعقوفٌ جداً ، مُلتَوٍ جداً

as **(cunning / sly) as a fox**

أدهى من الثعلبِ ، أدهى من قَيْسِ بن زُهَيْرٍ (من دهاة العرب) ، شديدُ المكرِ

as **cute as a bug's ear**

ألطفُ من ذَرَّةٍ ، فاتِنٌ جداً ، شديدُ الجاذبيةِ

as **daft as a brush**

أحمقُ من جُحَا ، أحمقُ ممن قَبضَ على الماء ، أحمقُ ممن لَاطمَ الأَرضَ بخدِّه ، أحمقٌ جداً <> شديدُ السخافةِ

as **dead as a (dodo / herring)**

ماتَ من قديمٍ ، ماتَ وعفا عليه الدهرُ

as **dead as a doornail**

مَيِّتٌ بلا جدالٍ ، هالكٌ لا محالة <> لا طائلَ منه ، لا نَفْعَ له

as **deaf as (a doorpost / a post / a stone / an adder)**

أَصَمٌّ من نَعامةٍ ، أَصَمٌّ تماماً ، شديدُ الصممِ

as **different as chalk and cheese**

مختلفان تماماً ، متباعدان بُعْدَ المشرقِ والمغربِ

as **drunk as a fiddler**

سكرانٌ تماماً ، مخمورٌ لأقصى درجةٍ ، شديدُ الثَّمالةِ

as **easy as (A, B, C / apple pie / duck soup / falling off a log / pie / rolling off a log)**

سَهْلٌ جداً ، شديدُ السهولـةِ

as **fast as greased lightning**

أَسرعُ من رَجْعِ الصَدى ، أَسرعُ من الريحِ ، أَسرعُ من سَيرِ سليمـانَ (عليه السلام) ، أَسرعُ من الطَّرفِ ، أَسرعُ من لمحِ البَصرِ ، سريعٌ جداً

as **fat as a pig**

أَسمنُ من دُبٍّ ، سَمِينٌ جداً ، شديدُ السُّمنةِ

as **fine as frog's hair**

رشيقٌ جداً ، أهيفٌ جداً <> ضئيلٌ جداً ، نحيفٌ جداً

as **fit as a (butcher's dog / fiddle)**

صحيح البِنْية ، لائقٌ بدنياً

as **flat as a pancake**

مُسَطَّحٌ جداً ، مُفَلطَحٌ جداً

as **free as a bird**

حُرٌ طَليقٌ

as **full as a tick**

مُمْتَلِئٌ لآخرِه ، مُتْخَمٌ تماماً

as **funny as a barrel of monkeys**

مُسَلٍ جداً ، هَزَليٌ جداً ، مُضحِكٌ جداً

as **gentle as a lamb**	في منتهى اللُطْفِ
as good as done	تَمَّ الانتهاءُ منه تقريباً ، على وَشَكِ الانتهاءِ
as **good as gold**	حُلْو العِشْرة ، حَسَنُ الطِبَاع <> مُطِيعٌ
as (good luck / luck) would have it	من حُسْنِ الصُدَفِ ، لحسنِ الحظِّ
as **gruff as a bear**	فَظٌّ جداً ، غَيرُ أَلُوفٍ على الإطلاقِ
as **happy as (a clam *(Am)* / Larry *(Br)* / a sandboy *(Br)*)**	في قمةِ السعادةِ ، في منتهى الغِبْطَةِ
as **hard as nails**	أَقسى من الحَجرِ ، أَقسى من الصَّلْدِ ، قاسٍ جداً ، شديدُ الصلابةِ
as **hungry as a (bear / horse)**	أَجوعُ من ذئبٍ ، أَجوعُ من قُرادٍ ، جوعانٌ جداً ، شديدُ النَهَمِ
as **innocent as a lamb**	في براءةِ الأطفالِ ، في مُنتهى البراءةِ
as **keen as mustard**	شديدُ التحمسِ ، مُفْعَمٌ بالحماسِ
as **mad as a hatter**	مجنونٌ <> مستشاطٌ غضباً

as **<u>mad as a March hare</u>** — **مجنونٌ جنونٌ مُطْبَقٌ**

as **<u>mad as a wet hen</u>** — **مُغتاظٌ تماماً ، شديدُ الاهتياجِ**

as **<u>meek as a lamb</u>** — **كالحَمَلِ الوديع**

as **<u>nervous as a (cat / cat in a room full of rocking chairs / long-tailed cat in a room full of rocking chairs)</u>** — **عَصَبِيٌّ جداً ، متوترٌ جداً**

as **<u>nice as ninepence</u>** — **شديدُ التنظيمِ ، شديدُ الترتيبِ ، مُهَنْدَمٌ تماماً**

as **<u>old as (Methuselah / the hills)</u>** — **أَعْمَرُ من حَيَّةٍ** (تَزعمُ العربُ أن الحيةَ لا تَموتُ أبداً حتى تُقْتَلُ) ، **قديمٌ جداً ، عتيقٌ جداً**

as **<u>plain as a pikestaff</u>** — **أَصفى من الدَّمْعَةِ ، أَصفى من عَينِ الظَّبْيِ ، أَصفى من الماءِ ، شديدُ الصّفوِ ، شفافٌ تماماً**

as **<u>plain as the nose on *one's* face</u>** — **ظاهرٌ للعِيانِ ، واضحٌ وضوحَ الشَمسِ**

as **<u>pleased as Punch</u>** — **مُفْعَمٌ بالغِبْطَةِ ، شديدُ السعادةِ**

as **<u>poor as a church mouse</u>** — **شديدُ الفقرِ ، فقيرٌ فقراً مُدْقِعاً**

as **pretty as a picture**	أَجملُ من البدرِ ، شديدُ الجمالِ ، مَليحٌ جداً
as **proud as a peacock**	مُتفاخرٌ كالطاووسِ ، مَزهوٌ بنفسِه
as **proud as (Satan / sin)**	شديدُ التكَبّرِ ، مُتشامخٌ
as **pure as the driven snow**	شديدُ النقاوةِ ، خالصٌ تماماً
as **quick as a wink**	سريعٌ كطَرف العين ، سريعٌ جداً
as **quiet as a mouse**	هادئٌ جداً ، لا ينبسُ ببنتِ شفةٍ
as **right as a trivet**	مُتّزنٌ تماماً ، صحيحٌ لأقصى درجةٍ
as **right as rain**	صحيحٌ تماماً ، على ما يُرامُ
as **scarce as hen's teeth**	شديدُ النُّدرَةِ ، يَعِزُّ طلبُه
as **scared as a rabbit**	مَذعورٌ جداً ، في مُنتهى الذُعْرِ
as **sick as a dog** (see "**sicker than a dog**")	مريضٌ جداً ، عليلٌ جداً

as **skinny as a rail**		شديدُ النَّحافةِ ، نحيفٌ جداً
as **slow as molasses in January**	*(Br)* *(S)*	بطيءٌ كالسلحفاة ، بطيءٌ جداً
as **(smooth / straight / true) as a die**		لا لَبْسَ فيه ، صَحيحٌ جداً ، حَقيقيٌ تماماً
as **snug as a bug in a rug**		مُستكينٌ جداً ، ناعمٌ بالدفءِ
as **soft as (silk / velvet)**		أملسٌ تماماً ، شديدُ النعومةِ
as **strong as a (horse / lion / ox)**		قويٌ جداً ، في منتهى القوةِ
as **stubborn as a mule**		عنيدٌ جداً ، حَرونٌ
as the crow flies		على الصّراطِ المستقيمِ ، في خطٍ مستقيمٍ ، لا يَتحوّلُ
as **thick as thieves**		متقاربان جداً ، كلاهما يكتمُ سرَّ الآخر ، كلاهما نَجيٌّ للآخرِ
as **thick as two short planks**		غَبيٌ جداً ، شديدُ الغباءِ
as **tough as an old (boot / leather / shoe leather)**		أَشدُّ من الحَجَرِ ، أَشدُّ من الحَديدِ ، أَشدُّ من فَرَسٍ ، أَشدُّ من فِيلٍ

as **<u>weak as a (baby / kitten)</u>**		**أَضعفُ من بعوضةٍ ، أَضعفُ من بَقَّةٍ ، أَضعفُ من فَراشةٍ ، ضَعيفٌ جداً ، أَوهنُ من بيتِ العنكبوتِ ، وَاهنٌ تماماً**
as **<u>white as (a sheet / snow)</u>**		**ناصعُ البياضِ ، شديدُ البياضِ**
as **<u>wild as a tiger</u>**		**جَامِحٌ جداً ، بَرّيٌّ**
<u>ascend the greasy pole</u>	*(Br) & (Au)*	**يُحاولُ تحسينَ وضعِه** (تستخدم عادةً لوَصف الترقي أو التدرج في السلم الوظيفي أو في المجال الدراسي أو الأكاديمي)
<u>asleep at the switch</u>		**في غفلةٍ ، لا يَدري ما يَدورُ حولَه** (عادةً تؤدي إلى كارثةٍ)
<u>(at / behind) the wheel</u>		**مُتحكمٌ ، مُسيطرٌ**
<u>(at / in) the back of *one's* mind</u>		**في قرارةِ نفسِه ، في صميمِ قلبِه**
<u>(at / on) first blush</u>	*(Am)*	**من أولِ نظرةٍ ، لأولِ وهلةٍ**
<u>at daggers drawn</u>		**على أهبةِ الاستعدادِ للقتال ، في نزاعٍ يَكادُ يَشتعلُ ، الحربُ بينهما تكادُ تَشتعلُ** (تستخدم عادةً لوَصف حالةِ جيشين أو دولتين)

at loggerheads

في نزاعٍ ، على خلافٍ

at *one's* fingertips

جاهزٌ في أيّ لحظةٍ ، حاضرٌ عند الطلبِ

at *one's* heels ***(He is being watched, and the police are at his heels.)***

قريبٌ منه جداً ، يُتابعُه كظلّه

at sixes and sevens

حالةٌ من الفوضى والالتباسِ <> اختلافٌ على كلّ شيءٍ

at *someone's* beck and call

يَسْهَرُ على كلّ طلباتِه ، طَوْعُ أمرِه

at *someone's* elbow

في متناولِ يدِه ، قريبٌ جداً منه

at the drop of a hat ***(If you need help, just call me. I'll come at the drop of a hat.) , (John was waiting for her at the drop of a hat to say anything. Once she opened her mouth, he started his belligerent tirade.)***

في التَّوِ واللحظةِ ، فوراً <> بِتَرَصُّدٍ ، بِتَصَيُّدٍ لأي هفوةٍ

at the eleventh hour

فِي آخِرِ لَحْظَةٍ ، قَبْلَ فَوَاتِ الأَوَان

attic (salt / wit)

دُعابةٌ مهذبةٌ ، ظَرْفٌ ، مُلْحَةٌ

augur well يُؤذِنُ بالنجاح ، يُبَشِّرُ بالخيرِ

away with the fairies في عالمٍ آخرٍ ، يَعيشُ في الخيالِ

axle grease ***(Oh boy! The restaurant business is tough, and you'll need a lot of axle grease to start with.)*** *(S)* مالٌ

B

baby blues	**اكتئابُ ما بعدَ الولادةِ <> عيونٌ زرقاءٌ** (مصطلحٌ عاميٌّ)
baby boomer	**شخصٌ مولودٌ بعدَ انتهاءِ الحربِ العالميةِ الثانيةِ**
baby kisser	**شخصٌ متزلفٌ** (معنى مجازي) <> **شخصٌ كثيرُ التقبيلِ للأطفالِ لاجتذابِ أصواتِ الناخبين** (معنى حرفي)
back and fill	**يَتذبذبُ ، يَتأرجحُ**
back the field	**يُراهنُ على كلِّ الخيلِ في سباقٍ ما إلاّ فرساً واحداً** (لتأكدِه من خسارةِ هذا الفرس)
back to basics	**العودةُ لتبني القواعدِ المُتعارفِ عليها**
back to (square one / the drawing board)	**عودةٌ للبدايةِ ، البدايةُ مرةٌ أخرى**
back to the salt mines	**حانَ وقتُ العودةِ للعملِ** (عادةً هو عملٌ مضنٍ وغيرُ ممتعٍ)
(back water / backwater)	**يَعكسُ موقفَه من شيءٍ ، يَتراجعُ عن شيءٍ قالَه**

backblocks	*(Au)* & *(Nz)*		**مناطقٌ زراعيةٌ تقعُ خارجَ المدنِ والمناطقِ العمرانيةِ**
backcountry (see "**backveld**")			**مناطقٌ ريفيةٌ ، مناطقٌ غيرُ حَضَرِيَّةٍ محدودةُ السكانِ**
(back-room / backroom) boy			**عاملٌ بسيطٌ مغمورٌ** (تستخدم عادةً لوَصف عاملٍ في مؤسسةٍ ضخمةٍ ولا يَعْلَمُ عنه أحدٌ)
backseat driver			**شخصٌ يَتطوعُ بإبداءِ النصيحةِ أو النقدِ فيما لا يُعنيه**
backveld (see "**backcountry**")	*(Sa)*		**مناطقٌ ريفيةٌ ، مناطقٌ غيرُ حَضَرِيَّةٍ محدودةُ السكانِ** (عادةً تحملُ في طياتِها عدمَ التحضرِ وغِلظةَ الطباعِ)
(bad / bum) rap		*(S)*	**تُهمةٌ مُلفّقةٌ ، اتهامٌ في غيرِ مَحلّه ، نَقْدٌ بالباطلِ**
(bad / rotten) apple (see "**(bad / rotten) egg**")			**شخصٌ سيئٌ ، امرؤٌ لا يُعَوّلُ عليه**
bad / rotten egg (see "**(bad / rotten) apple**")			**شخصٌ سيئٌ ، امرؤٌ لا يُعَوّلُ عليه**
bad paper (see "**rubber check**")		*(S)*	**شيكٌ رديءٌ ، شيكٌ بلا رصيدٍ**
bad penny	*(Br)*	*(S)*	**شخصٌ أو شيءٌ غيرُ مرغوبٍ**

badger game		**خُدعةٌ تُحْبَكُ على رجلٍ ثريٍّ لابتزازِه** (عادةً عن طريقِ امرأةٍ تَصحبُه لمكانٍ ويَكتشفهما زوجٌ مزعومٌ)
bag and baggage		**برُمَّتِه ، بِقِضِّه وقَضِيضِه**
bag of bones	*(S)*	**شخصٌ نحيلٌ جداً ، لحمٌ على عظمٍ**
bag of wind	*(S)*	**شخصٌ كثيرُ الكلامِ**
bag some rays	*(S)*	**يَتعرّضُ للشمسِ ، يَأخذُ حمّاماً شمسياً**
bail out on *someone*		**يَتركُه في محنتِه ، يَنفُضُ أو يَخلعُ يدَه منه**
(baited / bated) breath		**أَنْفاسٌ محبوسةٌ** (من التوجّسِ أو الانفعالِ)
baker's dozen		**ثلاثةُ عشر** (و نادراً أربعةُ عشر)
ball *(someone or something)* **up** ***(Who balled my computer up?) & (Stop balling up papers!)***		**يَعْبَثُ به ، يُفْسدُه** (معنى مجازي) <> **يُكَوّرُه ، يَجعلُه على شكلِ كُرةٍ** (معنى حرفي)
ball and chain (see "**trouble and strife**")	*(S)*	**الزَّوْجَةُ** (عادةً تُقالُ بشكلٍ ساخرٍ) <> **صعوباتُ الحياةِ**

ball (breaker / buster)		امرأةٌ صارمةٌ كثيرةُ المطالبِ ، وظيفةٌ صعبةٌ مُضنيةٌ
ball of fire		شخصٌ شديدُ النشاطِ ، امرؤٌ مملوءٌ بالحيويةِ
ballpark estimate		تَقديرٌ جُزافِيٌ ، تَخمينٌ عشوائيٌ
banana head	*(S)*	غبيٌ ، أخرقٌ
banana oil	*(S)*	تملّقٌ مكشوفٌ ، إطراءٌ مُبالغٌ فيه
banana republic		دولةٌ صغيرةٌ محدودةُ الإمكانياتِ ويَحكمُها حاكمٌ مستبدٌ
bandy words		يُجادلُ بشكلٍ مستمرٍ ، يُحاورُ بلا كللٍ
bang on about (see "**harp on (one / the same) string**")		ما يَفْتَأُ يَتَحَدَّثُ (عن أمرٍ) مراراً وتكراراً بشكلٍ مُضْجِرٍ
bank on *something*		يَضعُ ثقتَه فيه ، يَأتمنُه
banker's hours		ساعاتُ عملٍ محدودةٍ (عادةً من التاسعةِ أو العاشرةِ صباحاً وحتى الثانيةِ بعد الظهرِ)

Barbie doll		شابةٌ مُدلَّلَةٌ (تستخدم عادةً لوَصف شابةٍ جميلةِ المظهرِ وخاويةِ العقلِ) <> علامةٌ تجاريةٌ لعرائسِ البناتِ
bargaining chip		ورقةُ مساومةٍ
bark up the wrong tree		يُركزُ مجهودَه أو اهتمامَه في الاتّجاهِ الخاطئِ ، يَحيدُ عن طريقِه
(barking / trumpet) spider	*(S)*	الضُراطِ ، صَوتُ ريحُ البطنِ (عادةً تُقالُ كمداعبةٍ للأطفالِ)
barking mad		مَجنونٌ تماماً
barrel into *somewhere* (see "**barrel out of** *somewhere*")		يَدخلُه مُندفعاً
barrel of fun ***(What a party! We had a barrel of fun.)***		مَرَحٌ جَمٌّ ، تسليةٌ وافرةٌ
barrel out of *somewhere* (see "**barrel into** *somewhere*")		يَنطلقُ على عَقِبَيه فراراً منه
basket case		شخصٌ فاشلٌ ، شخصٌ علي وَشَكِ الانهيارِ <> مُؤسّسَةٌ فاشلةٌ (عادةً تقالُ من بابِ التهكمِ)
(bat / be on) a sticky wicket	*(Br)*	يَجني جريرةَ عملِه ، يجدُ نفسهُ في موقفٍ صعبٍ جراءَ ما صنعَ

(bat / shoot) the breeze *(S)* يَشتركُ في محادثةٍ لمجردِ تمضيةِ الوقتِ

batten down the hatches يَستعدُ أو يَستجمعُ قواه تحسباً لمشكلةٍ

(battle / war) of nerves حربُ أعصابِ (نزاعٌ يُهدّدُ فيه كلُّ طرفٍ الآخرَ بدونِ استخدامٍ فعليٍّ للقوةِ)

battle axe *(S)* امرأةٌ سليطةٌ (معنى مجازي) <> بِلْطَةُ الحَرْبِ (معنى حرفي)

bawl out (see "**(AC / Alpha Charlie)**") يُوبّخُ بشدّةٍ ، يَزجُرُ

(be / go) woolgathering يَنهمكُ في عملٍ غيرِ مجدٍ ، يُشغِلُ نفسه بفكرةٍ خياليةٍ

(be / sit) on the fence ***(We favor closing the shop, but he (is / is sitting) on the fence about it.)*** يَظلُّ على حيادِه ، لا يَنحازُ لأحدِ الطرفين <> لم يَستقرّ على رأيٍ بعد

be all over *someone* يُعَنِّفُه أو يَزْجُرُه بشدّةٍ ، يَتَعَدّى عليه بالقولِ

be caught flat-footed (see "**come out flat-footed**") تأخُذُه الأحداثُ على حين غرّةٍ

(be given / get) the bounce يُقالُ من عملِه ، يَخسرُ وظيفتَه

be head and shoulders above		**يَسمو على ، يَفوقُ بمراحلٍ**
be hoist (by / with) *one's* **own petard**		**يَقعُ في شرِّ أعمالِه ، يَقعُ في شِركٍ نَصبَه لغيرِه ، "من حَفرَ مُغَوَّاةً وَقعَ فيها"** (المُغَوَّاة هي البئر تُحفرُ للسبع ليَقعَ فيها)
be left holding the (baby *(S)* **/ bag)**		**يُصبحُ كبشَ فداءٍ ، يُلامُ على ما لم يَفعلْ <> يَتحمّلُ وزرَه وأوزارَ الآخرين معه**
be neither fish, flesh, nor fowl		**يَكونُ ذا طبيعةٍ غيرِ محددةٍ ، لا يُعرفُ مكنونُه**
bean counter	*(S)*	**مُحاسِبٌ ، مسؤولُ حساباتٍ** (عادةً تُستخدمُ للتهكمِ والازدراءِ)
bean head	*(S)*	**أبلهٌ ، أخرقٌ**
(bear / keep) *someone or something* **in mind**		**لا يَنساهُ ، يَتذكّرهُ**
bear down on ***(The divorce legal fees are bearing down on both parties.)***		**يَتسببُ في ضررٍ أو أثرٍ معاكسٍ ، يُؤذي**
bear fruit ***(I hope that your plan will bear fruit.)***		**يُثْمِرُ أو يُسْفِرُ عن نتيجةٍ مَرْجُوَّةٍ**
bear garden		**مكانٌ يَسُودُه الهَرَجُ والمَرَجُ**

bear hug		يحتضنُ بكلتي ذراعيه تعبيراً عن المودّةِ
bear market (see "**bull market**")		سوقٌ كاسدٌ تنخفضُ فيه مؤشّراتُ سوقِ المالِ
beard the lion (see "**bell the cat**")		يَتصرفُ بشجاعةٍ لا نظيرَ لها ، يَتهورُ تهوراً شديداً
beast with two backs ***(I saw them in a beast with two backs.)***	*(S)*	شريكان في جِماعٍ جِنسيٍّ
(beat / belt) the living daylights out of *someone* (see "**the living daylights**")		يُعاقبُه بلا رحمةٍ ، يَضربُه بلا هوادةٍ ، يُريه نجومَ الظهيرةِ
(beat / bore / scare) the pants off *someone*		يُخيفُه بشدةٍ <> يُضجِرُه بشدةٍ
(beat / knock) the tar out of *someone*		يَضرِبُه (بالسوطِ) <> يُسَخِّرُه بلا رحمةٍ
(beat / rack) *one's* **(brain / brains)**		يَعصرُ أفكارَه ، يُفكرُ ملياً (مُحاولاً تذكرَ شيءٍ أو حلَّ مسألةٍ)
(beat / whip) the devil around the stump	*(Am)*	يَتهربُ من مسؤوليةٍ بشكلٍ ملتوٍ ، يُراوغ متهرّباً من محنةٍ
beat a hasty retreat		يَنسحبُ أو يَتراجعُ على وجهِ السرعةِ

beat (about / around) the bush		يَتَطَرَّقُ إليه بشكلٍ غيرِ مباشرٍ ، يَلفُّ ويَدورُ (متحاشياً الدخولَ في صُلبِ الموضوعِ)
beat all! ***(He got away with my last dollar. If that doesn't beat all!)***		إنْ لم يَكنْ الأفضل! إنْ لم يَتفوقْ عليهم جميعاً!
beat it	*(S)*	يُغادرُ على عُجالةٍ ، يَتركُ مكاناً على وجهِ السرعةِ
beat *one's* **gums**	*(S)*	يُثرثرُ أو يَرطنُ بما لا طائلَ منه
beat *someone or something* **out**		يَنتصرُ عليه ، يَفوقُه
beat swords into ploughshares		يَتحاشى الحربَ ، يَجْنَحُ للسَلْمِ
beat the bushes		يَبحثُ بحثاً مُكثفاً ، يُفتشُ تفتيشاً دقيقاً
beat the clock		يَنتهي من عملٍ أو مُهمةٍ قبلَ الميعادِ المحددِ
beat the (drum / drums) for ***(The senator is beating the (drum / drums) for his new budget proposal.)***		يُلقي خطبةً حماسيةً تأييداً لـ
beat the rap ***(He was arrested for driving under the influence.***	*(S)*	يَتجنبُ العقوبةَ ، يتحاشى الإدانةَ

However, his clever lawyer helped him beat the rap.)

beat the shit out of *someone* (V)

يَضْرِبُه ضَرباً مُبَرِّحاً ، يُوسِعُه ضرباً

beat up on *someone*

يَضربُه ، يُؤذيه جسدياً <> يَنتقِدُه نقداً لاذعاً

(beating / flogging) a dead horse

يَنفخُ في قِربةٍ مثقوبةٍ ، يُحاولُ مِراراً وتِكراراً بلا جدوى ، لا يَضيرُ الشاةَ سلخُها بعد ذبحِها

(bed of Procrustes / Procrustean bed) ***(The new manager decreased our hourly rate, increased our workload, and asked us to be more productive. That's a (bed of Procrustes / Procrustean bed)!)***

الإرغامُ على التكيُّفِ مع أمرٍ غيرِ متوافقٍ مع الطبيعةِ ، الإرغامُ على قبولِ شيءٍ اعتباطيٍّ ، سريرُ بروكرستيز

bed of roses

مَوقِفٌ سهلٌ ، موضعٌ حسنٌ

bedroom eyes

النَظَرُ بشَبَقٍ ، نظرةٌ ذاتُ إيحاءٍ جنسيٍّ

bee in *one's* **bonnet**

تَتَنازَعُه الأفكارُ ، تَتملكُه الهواجسُ

beef about *someone or something*

يَشتكي منه (شخصٌ أو شيءٌ)

beef and reef (see "**surf and turf**")	*(S)*	فنُ طبخٍ يَجمعُ بين اللحومِ والمأكولاتِ البحريةِ <> مطعمٌ يُقدمُ هذه التشكيلةَ من الأطعمةِ
beef *something* **up**		يُقَوِّيه ، يُدَعِّمُه
beefcake (see "**cheesecake**")	*(S)*	رَجُلٌ (أو صورتُه) شبهُ عريانٍ يُظهرُ عضلاتِه المفتولةِ
been around ***(Don't worry about me. I've been around.)***		عَرَكَ الحياةَ بما يكفي لأن يَعلمَ ، عاشَ بما يَكفي لأن يَعِيَ
beer belly		كِرْشٌ ، بَطْنٌ ضخمٌ (عادةً نتيجة شرب الجِعة بكثرةٍ)
beer goggles		أن يُصبحَ الأشخاصُ أكثرَ جاذبيةٍ تحت تأثيرِ الكحولِ (و ذلك على خلافِ الواقعِ)
beg off (***We were invited to stay till tomorrow, but we had to beg off.***)		يَطلبُ الاستئذانَ عن عملِ شيءٍ أو الإيفاءِ بالتزامٍ
beg the question		يَطْرَحُ سؤالاً <> يَفترضُ صحةَ أمرٍ لم يُثْبَتْ بعدُ
behind bars		مَسجونٌ ، مُحْتَجَزٌ
behind the eight ball (see "**up the (creek / river) without a paddle**")		في مَوقفٍ دقيقٍ يَتعسرُ الفكاكُ منه

bell the cat (see "**beard the lion**")		يَتصدى لعملٍ يَستحيلُ إنجازُه ، يَقوم بمهمةٍ جدُّ عسيرةٍ
belly laugh		قَهقهةٌ ، ضحكٌ من الأعماقِ
belly-up	*(S)*	معطوبٌ ، لا يَعملُ <> ميتٌ ، هالكٌ
(below / beneath) the salt		مُتواضعٌ ، زَهيدُ القيمةِ <> غيرُ مطابقٍ للمواصفاتِ
below the belt		غيرُ عادلٍ ، ليس شريفاً (تستخدم عادةً لوَصف لُعبةٍ أو حركةٍ أو وسيلةٍ)
belt the grape		يُفْرِطُ في شربِ الكحولياتِ حتى الثمالةِ
belt up!		كُنْ هادئاً! <> اربطْ حزامَ الأمانِ بالسيارةِ!
bench warmer		لاعبٌ احتياطيٌّ (يَجلسُ دوماً على مقاعدِ البُدلاءِ)
(bend / lean) over (backward / backwards)		يَبذلُ أقصى أو قصارى جهدِه
(bend / lift) *one's* **elbow**	*(S)*	يَشربُ الكحولياتِ ، يُعاقرُ الخمورَ
bend *someone's* **ear**	*(S)*	يَتحدثُ إليه لوقتٍ طويلٍ بلا توقفٍ

English		Arabic
bent out of shape		غضبانٌ ، يَشعرُ بالمهانةِ <> سكرانٌ ، ثملٌ
beside the mark		خارجُ الموضوعِ ، لا علاقةَ له بمحلِّ النقاشِ
best bib and tucker		أَبهى ما لديه من ثيابٍ
best bud (see "**ace boom-boom**" & "**bosom (buddy / pal)**")	*(S)*	أقربُ الأصدقاءِ ، أفضلُ صديقٍ
bet *one's* **bottom dollar**		يُراهنُ بآخرِ ما لديهِ أو بكلِّ ما يَملكُه
bet *someone* **dollars to doughnuts** ***(I bet you dollars to doughnuts that it will rain today.)***		يُراهنُ بشيءٍ ثمينٍ مقابلَ شيءٍ بخسٍ (لتأكدِه من الفوزِ)
between (a rock and a hard place / the devil and the deep blue sea)		بين شِقَّيْ رحى ، بين خيارين أحلاهما مُرٌّ
between wind and water		في وضعٍ محفوفٍ بالمخاطرِ ، في وضعٍ حَرِجٍ
between you, me, and the (bedpost / lamppost / wall)		هذا سرٌّ بيني وبينك يجبُ ألا يطلعَ عليه أحدٌ
beyond *one's* **ken**		فوقَ مستوى إدراكِه

beyond the pale			خارجٌ عن القانونِ (تستخدم عادةً لوَصف شخصٍ)
big board		*(S)*	سوقُ المالِ بمدينةِ نيويورك (الولاياتُ المتحدةُ)
big brother			زعيمٌ أو نظامٌ مستبدٌ يُراقبُ شعبَه باستمرارٍ
big bucks		*(S)*	مالٌ وفيرٌ ، ثَروةٌ
big change			قَدْرٌ لا يُستهانُ به من المالِ ، مالٌ كثيرٌ
big fish in a small pond			شخصٌ تَنحصرُ أهميتُه أو نفوذُه في نطاقٍ ضيقٍ
big head		*(S)*	شخصٌ مغرورٌ ، إمروٌ يَملأهُ العُجْبُ
big house		*(S)*	السِجنُ
big John	*(Br)*	*(S)*	ضابطُ الشرطةِ ، شُرطيٌّ
big juice		*(S)*	شَيْخُ المنسرِ ، زعيمُ اللصوصِ
big kahuna			الشخصُ الأكثرُ أهميةً ، الزعيمُ

<u>big league</u>		**الدوري الوطني** (دوري كرةِ القدمِ في معظمِ بلدانِ العالمِ ودوري كرةِ القدمِ الأمريكيةِ في الولاياتِ المتحدةِ)
<u>big mouth</u>	*(S)*	**شخصٌ ثَرثارٌ يُفشي الأسرارَ**
<u>big (name / noise)</u>	*(S)*	**شخصٌ مشهورٌ**
<u>(big shot / big wheel / bigwig)</u>	*(S)*	**شخصٌ ذو مكانةٍ**
<u>big talk</u>		**غَطرسةٌ ، تَبجحٌ**
<u>big time</u> ***(The venders were cheating us big time.) & (Sam was a big-time gangster.)***		**نجاحٌ كبيرٌ <> أهلُ القمةِ في مجالٍ ما**
<u>(bigger / more) bang for</u> *<u>one's</u>* **<u>buck</u>**		**قوةٌ شرائيةٌ أكبرُ <> مقابلٌ أفضلُ للمجهودِ المبذولِ**
<u>(bigger / other) fish to fry</u>		**أمورٌ أخرى أجدرُ بالاهتمامِ ، أمورٌ أخرى أكثرُ أولويةٍ**
<u>bird in the hand</u>		**شيءٌ مضمونٌ ، عُصفورٌ في اليدِ**
<u>bite of the cherry</u>		**نصيبٌ من غنيمةٍ ، حظٌّ من منفعةٍ** (عادةً حين لا يُوجدُ ما يَكفي الجميع)

bite off more than *one* **can chew**

يُلزِمُ نفسَه بالقيامِ بعملٍ لا قِبَلَ له به ، يَلتزِمُ بأمرٍ لا يَقدرُ عليه

bite *one's* **tongue**

يُجاهدُ ألا يبوحَ بشيءٍ يريدُ أن يَقولَهُ

bite the big one ***(I hope that my kids are grown up when I bite the big one.) & (That movie is the worst I've ever seen. It bites the big one.)***

(S) **يَموتُ <> يَكونُ شديدَ الرداءةِ**

bite the bullet

يَتقبلُ المصاعبَ ويتحمّلُها بِجَلَدٍ

bite the dust

يَهوي على الأرضِ (جريحاً أو قتيلاً) **، يَلعقُ الترابَ**

bite the ice!

اذهبْ للجحيم!

bite the thumb at *someone*

يُهدّدُه <> يُهينُه

bits and pieces (see "**flotsam and jetsam**")

أشياءٌ وفُتاتٌ ، قِطَعٌ صغيرةٌ

bitten by the same bug ***(Don't get bitten by the same bug again. You can't by a new car every new year.)***

تَنتابُه نفس الرغبة ، يُولعُ بنفس الأمر

bitter pill

مُرٌ لا بدَّ منه

black and white ***(You don't need to think about it. This is a black and white matter.)***	**واضحٌ كالشمسِ ، جَلِيٌّ كالنهارِ ، لا لَبْسَ فيه**
black sheep	**مَوصومٌ <> عَديمُ القيمةِ**
blah blah blah (see "**yadda yadda yadda**")	**تعبيرٌ عن الازدراءِ بما قِيْلَ لسخافته ، تعبيرٌ عن الاستخفافِ بما قِيْلَ لسذاجتِه ، إلخ إلخ إلخ**
blank check	**شيكٌ على بياضٍ ، تصريحٌ مطلقٌ لشخصٍ بفعلِ ما يَرتأيه** (معنى مجازي) <> **شيكٌ مُمَهَّرٌ وبدون قيمةٍ مُحددةٍ** (يُمكنُ للمُمَهَّرِ له أن يُحددَ أيَّ قيمةٍ يُريدُها – معنى حرفي)
blaze a trail	**يَقودُ المسيرَ ، يُمهدُ الطريقَ** (يُستخدم هذا التعبير بمعناه الحرفي أو المجازي)
bleed for *someone*	**يَنفطرُ أو يَدْمَى قلبُه له**
bleed like a stuck pig	**يَنزفُ بغزارةٍ**
bleed *someone* **dry**	**يَبتزُّه أو يَستنزفُه تدريجياً**
bleed *someone* **white** (see "**pay through (***one's* **/ the) nose**")	**يَستنفذُه مادياً ، يَستنزفُ كلَّ مواردِه الماليةِ**

English			Arabic
blind drunk			ثَمِلٌ تماماً ، سَكِرَ حتى غابَ عن وعيِه
blind munchies			نَوباتُ النَّهَمِ (عادةً يأكلُ فيها الشخصُ كلَّ ما يَجِدُه)
(blind side / blindside) *someone*			يأخذُه على غِرَّةٍ ، يَأتيه من حيث لا يَحتسبُ
blind (pig / tiger)	*(Am)*	*(S)*	مكانٌ سِرّيٌ لبيعِ الخمورِ (عادةً بشكلٍ غير شرعيٍ)
bling bling		*(S)*	متفاخرٌ بثروتِه ، متباهٍ بما يَملكُه <> مجوهرات لامعة يرتديها الشخص للتباهي بالثراء
blood-and-guts			كلامٌ لاذعٌ ، استهزاءٌ قارصٌ <> قتلٌ وسفكُ دماءٍ (تستخدم عادةً لوَصف مَشهدٍ أو فيلم)
blood, toil, tears, and sweat			العَرَقُ والدموعُ ، الكدحُ والنَّصَبُ
(blow / bust) *something* **wide open**			يَفتحُه عنوةً على مصراعيه، يَغتصبُه
(blow / let off) steam			يُنَفِّس عن مشاعرِه أو غَضبِه
(blow / lose / throw) *one's* **(chunks / cookies / doughnuts / groceries / lunch)**	*(Br)*	*(S)*	يَتقَيَّأ

blow a (fuse / gasket)		يَنفجِرُ غاضباً ، يَفقدُ أعصابَه
blow a raspberry (see "**raspberry tart**" & "**Bronx cheer**")	*(S)*	**يَضرُطُ <> يُحْدِثُ صوتاً شبيهاً بالضُراطِ بفمِه** (عادةً على سبيل الاستهجان أو من باب الوقاحة)
blow hot and cold		يَتذبذبُ أو يَتأرجحُ بين نقيضين ، لا يَهنَأ على حالٍ
blow *one's* (cork / lid / stack / top)		يَفقدُ أعصابَه
blow *one's* lines		**يُخطئُ في أو يَنسى كلماتِه** (في دورٍ مسرحيٍّ)
blow *one's* mind		**يُسببُ له هذياناً** (عادةً باستخدامِ المُخَدِراتِ أو بمفاجأةٍ)
(blow / toot) *one's* own (horn / trumpet)		يَتفاخرُ بنفسِه ، يَتباهى بنفسِه ، يُزكي نفسَه
blow *one's* cool		يَفقدُ حِلمَه أو وَقارَه أو اتزانَه
blow smoke		يُضَخِّمُ أو يُهَوِّلُ أمراً للإيحاءِ بأنه أفضلُ من حقيقتِه
blow *someone* out of the water		يَهزِمُه شرَّ هزيمةٍ ، يَقضي عليه

blow *someone's* **doors off**	*(S)*	يَهزِمُه ، يَتَفوَّقُ عليه <> يسرع متخطياً إياه أثناء قيادة مركبة
blow *someone's* **cover**		يَكشِفُ سرَّه ، يَفضحُ شخصيتَه (عادةً عن غير قصدٍ)
blow *someone's* **mind**	*(S)*	يُفاجِئُه ، يُدهشُه <> يُحْدِثُ له تأثيراً مُخِلّاً بالنفس أو مُهَلْوِساً (مادة مُخَدِّرَة)
blow *something* **out of proportion**		يُبالغُ فيه ، يُهوّلُ من شأنِه
blow the joint ***(Let's blow the joint before the police arrive.)***	*(S)*	يُغادرُ مُسرعاً وبلا ترددٍ
blow the lid off *someone or something*		يَفضَحُه ، يَكشفُ سِرَّه
blow the whistle		يُحَذِّرُ أو يُنَبِّهُ لحدوثِ مخالفةٍ أو جريمةٍ
blow the whistle on *something* **(see "put the skids (on / under)** *something***")**		يُوقِفُهُ ، يُنْهيه
blow to smithereens		يُفَتتُ تماماً ، يُهَشمُ لشظايا عديدةٍ (عادةً نتيجة اصطدامٍ أو ارتطامٍ – يُستخدم هذا التعبير بمعناه الحرفي أو المجازي)
(blue / green / pale) about the gills		يَبدو عليه المرضُ

(blue / green / pale) around the gills — **يَبدو عليه المرضُ**

blue blazes ***(What in blue blazes are you talking about?)*** *(S)* — **الجحيمُ ، جَهَنَّمُ**

blue blood — **الدمُ الملكيُّ ، الدمُ الأرستقراطيُّ**

blue collar (see "**white collar**") — **شخصٌ من الطبقةِ العاملةِ**

blue flu (see "**sick-out**") — **غيابٌ جماعيٌّ لرجالِ الشُرطةِ أو المطافئِ بحجةِ المرضِ** (عادةً يتمُّ ترتيبُه مُسبقاً وبحذرٍ شديدٍ لوجودِ قوانينِ صارمةٍ تمنعُهم من الإضرابِ الجماعيّ)

blueprint — **نُسخةٌ زرقاءٌ ، نسخةٌ معماريةٌ** (مُخَطَّطٌ معماريٌّ للبنايةِ يُطْبَعُ بالحبرِ الأزرقِ على ورقٍ أبيضٍ)

boil down to *something* — **يُمكنُ اختصارُه أو إيجازُه في**

boiling mad — **يَغلي من الغيظِ**

bolt from the blue — **مفاجأةٌ غيرُ متوقعةٍ ، أَمرٌ مُذهلٌ**

bomb out — **يَفْشَلْ** (في دراسةٍ أو عملٍ - معنى مجازي) <> **يُصْبِحُ بلا مأوى نتيجة**

القصف ، يُدَمِّرُ عن طريق القصف
(معنى حرفي)

bone dry — **جافٌ تماماً**

bone factory *(S)* — **مُستشفى** (عادةً تقالُ تَهكُّماً) <> **مقبرة**

bone idle *(Br)* — **كَسولٌ جداً**

bone of contention (see "**bone to pick**") — **موضوعُ النزاعِ**

bone orchard ***(He took her to the bone orchard last night.)*** *(S)* — **يُواقعُ جنسياً**

bone to pick (see "**bone of contention**") — **محلُ النزاعِ ، موضوعُ الخصومةِ**

bone up on *something* — **يَستذكرُ له ، يَستعدُ له** (تستخدم عادةً لوَصف الاستعدادِ لامتحانٍ)

boo bird — **شخصٌ كثيرُ الصياحِ في الحفلاتِ أو المبارياتِ** (عادةً استهجاناً)

boob tube *(Am)* *(S)* — **التلفازُ ، المذياعُ المرئيُ**

booby prize		**جائزةُ الخاسرِ** (تستخدم عادةً لوَصف الجائزةِ التي تُمْنَحُ للخاسرِ أو من يأتي آخراً في سباقٍ بغرضِ التهكمِ عليه)
booby trap		**شِرْكٌ ملغومٌ ، شِرْكٌ مُفَخَخٌ**
boogie down to *somewhere*	*(S)*	**يَذهبُ إلى مكانٍ ما باستعجال**
boot camp		**مُعسكرُ تدريبٍ** (للجنودِ الجددِ – نَشأ هذا المصطلح من عادةِ ركلِ الضباطِ بأحذيتِهم للجنودِ الجددِ لحثِّهم على النظامِ أو التعجلِ بتأديةِ مهمةٍ) <> **اصلاحيةٌ لتهذيبِ الشبابِ المنحرفين**
boot *someone* **out** (see "**kick** *someone* **out**")		**يُسَرِّحُهُ من الخدمة ، يَفْصِلُهُ من عمله**
boots and saddles (military)		**نِداءٌ بالبُوقِ للفرسانِ لامتطاءِ خيولِهم** (مصطلحٌ عسكريٌّ)
booze artist		**سِكِّيرٌ**
boozy-woozy	*(S)*	**واقعٌ تحتَ تأثيرِ الكحولِ ، سكران**
bore the pants off of *someone* ***(You bore the pants off of me today with your talk about differential equations of the third degree.)***	*(S)*	**يَصيرُ مُملاً ، يُمْلِلُه** (بحديثِه الجافِ)

born with a silver spoon in *one's* **mouth**			**مولودٌ في فمِه ملعقةٌ ذهبيةٌ ، ثَريٌّ بالولادةِ** (لاحظ استخدام "ملعقةٌ ذهبيةٌ" بدلاً من "ملعقةٌ فضيةٌ" في المقابلِ العربيّ)
born yesterday ***(I wasn't born yesterday!)***			**عديمُ الخبرةِ ، أَغَرٌّ**
bosom (buddy / pal) (see "**ace boom-boom**" & "**best bud**")		*(S)*	**أقربُ الأصدقاءِ ، أفضلُ صديقٍ**
bosom (chums / friends)	*(Br)*	*(S)*	**القملُ**
boss dick	*(Br)*	*(S)*	**شرطيٌ ، رجلُ شرطةٍ**
bottle out	*(Br)*	*(S)*	**يَيْأسُ ، تَخورُ عَزيمتُه** (تصفُ عادةً الكفَّ عن عملِ شيءٍ ما بعد عدة محاولاتٍ فاشلةٍ)
bottom drawer (see "**top drawer**")	*(Br)*	*(S)*	**النفائسُ ، الأشياءُ الثمينةُ** (عادةً تُوضعُ في الدُرْجِ الأسفلِ)
bottom fishing (financial)			**شراءُ الأسهمِ والسنداتِ عند تدني قيمتها لأدنى حدٍّ**
bottom line			**السببُ الحقيقيُّ ، الغرضُ الأساسيُّ**
bottom of the (barrel / heap)			**سَقْطُ مَتاعٍ ، دَنيءٌ ، مُتدني القيمةِ**

<u>bottom-up</u> (see "**<u>top-down</u>**")

من أسفل لأعلى ، سفليٌّ علويٌّ
(أسلوبٌ في الإدارةِ يبدأُ بإشراك صغارُ الموظفين في صنع القرار والذي تتبناه فيما بعد الإدارةُ العليا ، أسلوبٌ في التخطيط يبدأُ بالتفاصيل الدقيقة وينتهي إلى الخطوطِ العريضةِ)

<u>bow and scrape</u>

يُحَيي بتذلل ، يَتوددُ بشكلٍ مبالغٍ فيه

<u>box the compass</u>

يُناقشُ جميعَ الحلولِ الممكنةِ ، يَأخذُ في الاعتبارِ جميعَ الاحتمالاتِ <>
يَدورُ دورةً كاملةً (عائداً لنقطةِ البدايةِ)

<u>brack-brain</u> *(Br)* *(S)*

أحمقٌ

<u>brain drain</u>

هجرةُ الأدمغةِ ، هجرةُ العقولِ (هجرةُ العلماءِ من بلدانِ العالمِ الثالثِ لعدمِ توافرِ الإمكاناتِ البحثيةِ ولانحطاطِ المستوى المعيشيِّ)

<u>brain trust</u> *(Am)*

المجموعةُ الذكيةُ ، صفوةُ الحكماءِ
(مجموعةٌ مستشارين على أعلى مستوى يَتخذُها ويُقربُها الرؤساءُ)

<u>brain-dead</u> *(S)*

شديدُ الحماقةِ

<u>brand new</u> (see "**<u>spanking new</u>**")

جديدٌ جداً ، لم يُمَسّ

brass hat	**شخصٌ مُتسلطٌ** (تستخدم عادةً لوَصف شخصٍ في موقعِ مسؤوليةٍ ويَتحدثُ مع من هم دونَهُ بتسلطٍ)
bread and (circuses / games)	**سِياسَةُ الاستخفافِ** (وسيلةٌ يَتبعُها الساسةُ لإرضاءِ شعوبِهم عن طريقِ توفيرِ الخبزِ ونوعٍ من الرياضةِ مثل كرةِ القدمِ بدلاً من السعيِ لحلّ المشاكلِ الأساسيةِ لشعوبِهم)
breadwinner	**عائلٌ لأسرتِه ، قَوَّامٌ على أسرتِه**
break a leg!	**تمنياتي بحظٍ سعيد!** (عادةً ما تقال لممثّلٍ قبلِ الظهور على المسرح، خصوصاً في ليلة افتتاح العرض)
break bread *with someone*	**يَأكلان معاً ، يَأكلان خبزاً ومِلْحاً**
break cover	**يَخرجُ من مكمنِه أو مخبئِه**
break even	**يَتعادلُ ، تتساوى نفقاتُه مع عوائدِه**
(break for high / take to the tall) timber	**يَرحلُ فجأةً وبلا مقدماتٍ**
break *one's* **neck**	**يَضطلعُ بمهمةٍ شاقةٍ جداً <> يَبذلُ كلّ ما في وسعه**

break (rank / ranks) with		**يَفشلُ في التماشي مع ، يُخفقُ في التكيفِ مع** (النمطِ العامِ أو ما هو متوقعٌ منه) <> **يعلن معارضته لمجموعةٍ ينتمي إليها على الملأ**
break *someone's* **heart**		**يُحزنُه ، يَكسرُ فؤادَه**
break the bank ***(I know how to shop for cute outfits without breaking the bank)***		**يَسحبُ رصيداً أكبرَ من طاقةِ المصرفِ على الدفعِ <> ينفقُ مالاً أكثر مما في وسع ميزانيته**
break the ice		**يُذيبُ الجليدَ ، يُزيلُ التَحَفُّظَ** (في المعاملةِ مع الآخرين)
break wind		**يَضرطُ ، يُخرجُ ريحَ البطنِ**
breakfast of champions **(see "splice the mainbrace")**	*(S)*	**أولُ مشروبٍ كحوليٍّ في الصباحِ** (بدلاً من طعامِ الإفطارِ وقد تَصفُ أي بديلٍ غير صحيٍّ آخر كالقهوة و السجائر)
breast beating		**شَجبٌ ، احتجاجٌ شديدٌ**
breeze into *something or somewhere*		**يَفوزُ به بسهولةٍ <> يَدخلُ** (مكاناً) **واثقاً من نفسِه أو مُسرعاً**
(brick / bricks) and mortar **(see "bricks and clicks")**		**نموذجُ بَيعٍ تُعْرَضُ فيه المنتجات للبيع في المتاجرِ**

bricks and clicks (see "**(brick / bricks) and mortar**")

نموذجُ بَيعٍ يجمعُ بين عرضِ المنتجات للبيعِ في المتاجرِ وعلى شبكةِ الإنترنت

bright and breezy

مُفعمٌ بالثقةِ والسعادةِ

bright eyed and bushy tailed

مَرِحٌ ، مملوءٌ بالحيويةِ

(bring / fetch / haul / rake) *someone* over the coals

يُعَنِّفُه بشدةٍ ، يُوَبِّخُه بكلامٍ لاذعٍ

(bring / pull / take) down a (peg / peg or two) (see "**come off (of *one's* high horse / *one's* perch)**")

يَحُدُّ من اعتداده بنفسِه ، يُقللُ من تباهيه بذاتِه

(bring / put) under the hammer (see "**(come / go) under the hammer**")

يَطرحُ للبيعِ في مزادٍ علنيٍ

bring down the house

يُصَفِّقُ أو يُحَيِّي بمنتهى الحرارةِ (معنى مجازي) <>يتسبب في انهيار بيت (معنى حرفي)

bring home the bacon

يَكسَبُ مالاً ليعولَ أسرتَه

bring *someone* to book

يُحاسبُه على أفعالِه ، يَطلبُ منه تفسيراً لشيءٍ فعلَه <> يحمّلُه المسؤولية

bring to bear ***(The new CEO brought to bear his own concerns with the proposed project.)***		**يُركّزُ عليه لغرضٍ محددٍ**
broken reed		**شخصٌ لا يُعَوَّلُ عليه**
Bronx cheer **(see "blow a raspberry" & "raspberry tart")**	*(V)*	**ضُراطٌ** (إحداثُ صوتِ الضُراطِ بالفمِ)
brown bottle flu		**خُمَارٌ أو سُكْرٌ مُعَلَّقٌ نتيجةَ الإفراطِ في الشربِ** (الجِعةُ أو البيرةُ)
browned off **(see "fed up")**	*(Br)*	**صَبَرَ على مكروهٍ لآخرِ قدرتِه ، لن يتحملَ المزيدَ <> طفح به الكيل**
brownie points		**ائتمانٌ ، رصيدٌ** (يُحرزُه الشخصُ عن طريقِ إسداءِ خدماتٍ مجانيةٍ أو تطوعيةٍ لرئيسِه - معنى مجازي)
brown-nose *someone* **(see "to kiss** *someone's* **butt")**		**يَتملّقُه أو يُداهنُه بشدةٍ**
(bubble-head / bubblehead)	*(S)*	**غبيٌّ ، أحمقٌ**
buck the tiger	*(Am)* *(S)*	**يُقَامِرُ ، يلعبُ القُمارَ**
bucket of bolts	*(S)*	**ماكينةٌ لا تساوي إلا قيمةَ ما بها من خُرْدَةٍ** (تستخدم عادةً لوَصف سيارةٍ قديمةٍ متهالكةٍ)

buck-naked			عارٍ تماماً
bucks (night / party) (see "**hen (night / party)**" & "**stag (night / party)**")			آخرُ حفلةٍ للعريسِ مع أصحابِه قبلَ أن يَتزوجَ
buddy up with *someone*			يُزاملُه ، يُرافقُه
Buggins' turn	*(Br)*		التعيينُ في المناصبِ العليا بناءً على الأقدميةِ أو بمن عليه الدَّور (و ليس بناءً على الكفاءةِ)
bull market (see "**bear market**")			سوقٌ رائجٌ ، سوقٌ مُزدهرٌ (ترتفعُ فيه مؤشراتُ سوقِ المالِ)
bull session (see "**shoot the bull**")			مناقشةٌ مفتوحةٌ ، ثرثرةٌ (يُدلي فيها كلٌّ برأيِه بحُرّيةٍ عادةً بين الرجالِ)
bull's eye			نُقطةُ الهدفِ الرئيسيةُ
bullet stopper	*(Am)*	*(S)*	فردٌ من مُشاةِ البحريةِ الأمريكيةِ (استُحدِثَ هذا المصطلحُ إبانَ حربِ الخليجِ)
bumper-to-bumper (for vehicles) (see "**nose-to-nail**")			ظَهراً لظهرٍ ، مؤخرةً لمؤخرةٍ
bunch of fives		*(S)*	قبضةُ اليدِ <> لكمةٌ

bundle (from Heaven / of joy)	*(S)*	مَولودٌ ، طفلٌ رضيعٌ
bundle of nerves		شخصٌ عصبيٌّ جداً
burn artist	*(S)*	مُخْبِرٌ ، واشٍ (مصطلحٌ يُستخدَمُ في عالمِ الإجرامِ)
burn (*one's*** / the) candle at both ends**		يَسهرُ ليلَه ويبدأُ نهارَه مبكراً ، يحيا حياةً محمومةً
burn *one's* **bridges behind** *one*		يَتخذُ قراراتٍ لا يمكنُه الرجوعُ فيها فيما بعدُ <> يُغادرُ عملاً أو مكاناً تاركاً انطباعاً سيئاً ظناً منه أنه لن يعودَ إليه
burn rubber (see "**drag race**")	*(S)*	يَقودُ سيارتَه بسرعةٍ بالغةٍ
burn the midnight oil		يَسهرُ في عمله للساعاتِ الأولى من الصباحِ
bury *one's* **head in the sand**		يَدفنُ رأسَه في الرمالِ ، يَأبى أن يَواجهَ أو يَعترفَ بمشكلتِه
bury the hatchet		يُسَوّي نزاعَه مع خَصمِه ، يُنهي خصومتَه مع عدوِه
bush patrol	*(S)*	عِناقٌ وتَقبيلٌ ، مُلاعبةٌ تَسبقُ الجماعَ

busman's holiday		**أجازةٌ يَقضيها الشخصُ مُنشغلاً بنفسِ مهامِ وظيفتِه** (تستخدم عادةً لوَصف الأشخاصِ مدمني العملِ والذين ليس لهم حياةً خاصةً تَشغلُهم)
bust a gut!	*(S)*	**اعْمَلْ بأقصى جهدك!**
bust a move ***(It's too late. Let's bust a move.)***	*(S)*	**يُغادرُ** (مكاناً)
bust some suds	*(S)*	**يَتناولُ المزيدَ من الجِعَةِ أو البيرةِ <> يغسلُ الصّحون**
butt wipe	*(S)*	**شخصٌ مُتذللٌ**
(butter and egg / egg) money		**دَخْلُ المُربياتِ من بيعِ منتجاتِهن**
butter *someone* **up**		**يُداهنُه ، يَتملقُه**
butter *something* **up**		**يُحَسِّنُ من صورتِه ، يُبالغُ فيه**
butter wouldn't melt in *one's* **mouth**		**رابطُ الجأشِ تماماً ، لا يَفقدُ حِلْمَه مهما كانت الظروفُ ، باردُ الأعصابِ**
butterfingers		**شخصٌ مُتهاونٌ ، امرؤٌ مُتَقاعسٌ** (عادةً تُستخدمُ في الرياضة وتصفُ

			شخصاً يفشلُ في التقاطِ كُرةٍ أو شيءٍ بيديه)
butterflies in the stomach (see "**the collywobbles**")		*(S)*	**قرقرةُ البطنِ ، جَرَيانُ البطنِ** (عادةً تصف حالةً عصبيةً تسبقُ أمراً جللاً)
buy the farm	*(Am)*	*(S)*	**يَموتُ** (عادةً في عمليةٍ حربيةٍ أو في حادثةٍ)
by and large			**إذا أُخِذَ كل شيءٍ في الاعتبار ، بشكلٍ عامٍ**
by dint of *something*	*(Br)*		**بواسطةِ ، عن طريقِ** (عادةً تُستخدم مع عملِ شيءٍ أو انتزاعِه بالقُوّةِ أو عُنْوَةً)
by fits and starts			**على نحوٍ متقطّعٍ ، على فتراتٍ غيرِ منتظمةٍ**
by hook or by crook (see "**catch as catch can**")			**بطريقةٍ أو بأخرى ، بالحَسنةِ أو بالسيئةِ ، بأيِّ وسيلةٍ**
by the seat of *one's* **pants**			**ببديهتِه وليس بعِلْمِه ، بحَدْسِه وليس بظاهرِ الأمورِ**
by the skin of *one's* **teeth**			**بالكاد ، بِشِقِّ الأنفُسِ**

C

cadmean victory (see "**pyrrhic victory**")

انتصارُ كادمَسْ (انتصارٌ يُعانِي فيه المنتصرُ خسارةً تَقترِبُ من خسارةِ المهزومِ لدرجةِ ألا يُمكنُ تمييزُ أحدِهما عن الآخرِ إلا بصعوبةٍ)

call a spade a spade

يُسَمّي الأشياءَ بمسمَّياتِها

call it a day

يُنهي عملَ يَومِه <> يَأوي للفراشِ ، يَخلدُ للنومِ

call off the dogs *(I will call you every day; I will follow you wherever you go, and I won't call off the dogs until you pay me back.)*

يَتوقفُ عن ممارسةِ أمرٍ بغيضٍ ، يَنتهي عن القيامِ بعملٍ كريهٍ (كانتقادِ أو مهاجمةِ أحدهم)

call the shots

يَكونُ القرارُ بيديه ، يَكونُ الآمرَ الناهي

can't carry a tune in a (bushel basket / bucket / paper sack)

تَنقصُه الموهبةُ الموسيقيةُ ، غيرُ قادرٍ على الغِناءِ

can't cut the mustard

لا يَستطيعُ التعاملَ مع التحدياتِ

can't help it

لا يَستطيعُ منعَها <> لا يَستطيعُ التحكمَ في نفسِه

can't hold a candle to *someone or something*	**لا يَستوي معه ، لا يَعْدِلُه**
can't see the (forest / wood) for the trees	**لا يَرى الصورةَ كاملةً لشدةِ استغراقِه في التفاصيل**
capital punishment	**عقوبةُ الإعدامِ** (كانت في البداية تعني "عقوبةُ قطعِ الرأسِ" وتطورت إلى "عقوبةُ الإعدامِ" مع تغيرِ أساليبِ تطبيقِ الحكم)
carbon copy	**نسخةٌ طِبْقُ الأصل**
carbon footprint	**الأَثر الكربوني ، البصمة الكربونية** (كميةُ غازِ ثاني أكسيد الكربون النابعةِ كناتجٍ لأي عمليةٍ كيميائيةٍ أو حيويةٍ وتستخدم للحكم على كفاءة العملية بيئياً)
carpe diem (Latin)	**تَمَتَّع بوقتِك ، استمتع بيومِك ، عِش ليومِك**
carry coals to Newcastle *(Br)*	**يَقومُ بعملٍ زائدٍ عن اللزومِ وفي غيرِ محلِّه**
carry the torch for *someone*	**يُدَلَّهُ به ، يَقَعُ في غرامِه** (تستخدم عادةً لوَصف حبٍّ من طرفٍ واحدٍ)
carte blanche (French)	**تخويلٌ لشخصٍ بعملِ ما يرتئيه ، صلاحياتٌ مطلقةٌ**

(cash / hand / pass) in *one's* (checks / chips) (S)	يَموتُ ، تُوافيه المَنِيَّةُ
cash cow	دجاجةٌ تَبيضُ ذهباً ، عملٌ أو أمرٌ عظيمُ الربحِ
(cast / run) an eye over *something*	يَنظرُ إليه على عُجالةٍ وبغيرِ تدقيقٍ
(cast / throw) dust in *someone's* eyes	يَخدعُه ، يُضلِلُه ، يَصرفُه عن الحقيقةِ
(cast / throw) in *one's* lot with *someone*	يَنضمُّ إليه ، يَلحقُ به ، يصبح حليفاً له
cast a pall (on / over)	يَخلقُ جواً حزيناً ، يُغلِّفُ بالحُزنِ
cast a spell	يَسحِرُ ، يَأخذُ بالألبابِ
cast (about / around) for *someone or something*	يَجِدُّ في البحثِ عنه
cast aspersions on *someone*	يَتحدثُ عنه بشكلٍ وقحٍ أو مُهينٍ
cast in *one's* teeth	يُؤنِّبُ ، يَزجرُ
cast in the same (mold / mould) ***(You are cast in the same (mold / mould) as your father.)***	يُشبهُه تماماً في شخصيّتِه

cast *one's* eyes down — **يُغضي الطرفَ** (حياءً أو خجلاً)

cast *one's* mind back — **يُحاولُ أن يَتذكّرَ ، يَعودُ بذاكرتِه**

cast *one's* net (wide / wider) ***(I don't see any promising candidate. Let's cast our net (wide / wider).)*** — **يَفتحُ البابَ لاختياراتٍ أكثر ، يَأخذُ في الاعتبارِ أشخاصاً أكثر**

cast sheep's eyes at *someone* — **يَنظُرُ بتغزلٍ أو بشغفٍ إلى** (عادةً النساء الصغيرات)

cast the first stone — **يَكونُ أوّلَ من يُلومُ الآخرين على أخطائِهم**

cast-iron stomach — **مَعِدةٌ من حديدٍ** (تَهضمُ أيَّ شيءٍ)

castle in the air — **قَصرٌ من الرمالِ ، صِرحٌ في الهَواءِ ، حِلمٌ غيرُ حقيقيّ**

(catch / have / take) forty winks *(S)* — **يَتَقَيّلُ ، يَأخذُ سِنَةً من النومِ ، يَنامُ لفترةٍ قصيرةٍ**

catch 22 — **مُعْضِلَةٌ لا فكاكَ منها** (تستخدم عادةً لوَصف وضعٍ سيئٍ وأيُّ محاولةٍ لتحسينه تزيدُه سوءاً)

catch a falling knife — **يُحاولُ التنبأَ بالسعرِ الأدنى** (مغامرةٌ خطيرةٌ يَقومُ بها بعضُ المستثمرين عادةً بغرضِ الربحِ الوفيرِ السريعِ وذلك بشراءِ السهم المالي أثناء تدهور

	سعرِه أملاً في أن يرتفعَ السعرُ لتوه - مصطلحٌ ماليٌّ)
<u>catch a Tartar</u>	**يَطلُبُ أمراً مظنةَ نفعِه ليكتشفَ أنه وَبَالٌ عليه** (معنى مجازي) <> **يُصارعُ خصماً جباراً** (معنى حرفي)
<u>catch as catch can</u> (see "<u>by hook or by crook</u>")	**بطريقةٍ أو بأخرى ، بالحَسنةِ أو بالسيئةِ ، بأي وسيلةٍ ممكنةٍ**
<u>catch</u> *<u>one's</u>* **<u>eye</u>**	**يَلفِتُ نَظرَه ، يَسترعي انتباهَه**
<u>catch some rays</u>	**يَتَعَرَّضُ للشمسِ ، تَسْفَعُه الشمسُ**
<u>catch</u> *<u>someone</u>* **<u>red-handed</u> (see "<u>have the goods on</u>** *<u>someone</u>***")**	**يَضبطُه متلبساً ، يَضبطُه أثناءَ ارتكابِه للجُرْمِ**
<u>catch the</u> *<u>something</u>* **<u>bug</u>** ***(John started gambling once a year or so. Then, he caught the gambling bug and lost all of his money.)***	**تَستهويه عادةٌ ، يَعتادُ ، يَألفُ**
<u>(caught / got / held) by the short hairs</u>	**واقعٌ في شِرْكٍ يَصعُبُ الخَلاصُ منه ، واقعٌ في أسرٍ يَصعُبُ الفكاكُ منه**
<u>cave in to</u> *<u>someone</u>* ***(After six months of denial, managers caved in to the employees' demands.)***	**يَخضعُ له ، يَستسلمُ له**

caviar to the general — شيءٌ مخالفٌ للذّوقِ العامِ ، شيءٌ ذو قيمةٍ عاليةٍ لا يعرفها سوى النّخبة أو المثقفين

certain party — شخصٌ يَعرفهُ ولكن لا يُريدُ أن يُسمّيه باسمِه

chalk talk — كلامٌ فقط (بلا فعل) ، محاضرةٌ يستخدم فيها المُحاضر طباشيراً ولوحاً

chalk up *something* **to** *something* ***(I chalked up his bad attitude to his drinking problem.)*** — يُحَدّدُ أن أمراً ما تسبب عنه أمرٌ آخرُ

champ at the bit *(S)* — لا يَحتملُ الانتظارَ

(change / mend) *one's* **ways** — يُحَسّنُ من سلوكِه

(change / swap) horses in (midstream / the middle of the stream) — يُغيّرُ القائدَ أثناء المعركةِ ، يَستبدلُ الزعيمَ في وقتِ المحنةِ (عادةً نذيرُ شؤمٍ بكارثةٍ لاحقةٍ)

change *one's* **mind** — يُغَيّرُ رأيَه

charley horse ***(I woke up this morning with a charley horse in my calf.)*** *(S)* — تيبّسُ أو تقلصُ عضلاتِ الأرجلِ

charm offensive		حملةٌ دعائيةٌ لتلميعِ أولتحسينِ صورةِ مرشحٍ سياسيٍّ تركّزُ على الكاريزما التي يمتلكها ذلك المرشّح
cheap john		بضاعةٌ رخيصةٌ ، سِلَعٌ تُباعُ بثمنٍ بَخسٍ <> بائعُ السلعِ الرخيصةِ
cheek by jowl ***(The spectators were packed in cheek by jowl.)***		جنباً إلى جنبٍ ، مُتقاربان (يكادان يَلتصقان ببعضهما)
cheese *someone* **off**	*(S)*	يثيرُ شدّةَ غضبِه
cheesecake **(see "beefcake")**	*(S)*	امرأةٌ (أو صورتُها) شبهُ عاريةٍ تُظْهِرُ مفاتنَها
chew the cud		يُثرثِرُ بلا فائدةٍ ، يُعيدُ ويُزيدُ فيما لا طائلَ منه
chew the (fat *(Br)* **/ rag** *(Am)***)**		يُثرثِرُ ، يَهْذُرُ ، يَجري بالنميمةِ
chick flick	*(S)*	فيلمٌ عاطفي ذو قصةٍ وأحداثٍ تجتذبُ النساء
chicken feed	*(S)*	مالٌ زهيدٌ ، نقودٌ قليلةٌ
chicken out of *something*	*(S)*	يَجبُنُ عن شيءٍ ، يَخنَعُ من شيءٍ

chink in *one's* armor (see "**Achilles' heel**")
قطةُ ضعفٍ قاتلةٍ

chip in on *something* ***(I will chip in on the dinner bill tonight.)***
ساهمُ فيه ، يَدفعَ نصيبَه أو حصتَه منه

chip off the (old / same) block
متدادٌ لنفسِ السلالة ، من نفسِ لصِنفِ (كقولنا بالعربية: هذا الشبل من اك الأسد)

chip on *one's* shoulder
حساسٌ داخليٌ بالدونيةِ أو بالظلمِ

chit chat *(S)*
ثرثرُ ، يُدردشُ

chop and change
غَيّرُ مرةً تِلو الأخرى ، يُغَيّرُ مرةً بعدَ مرةٍ

chop chop! *(S)*
هَلُمّ! ، أَسْرِعَ!

chow down
جلسُ للطعامِ

circle the wagons
تمسكُ بمعتقداتِه ، يَلتزِمُ بتقاليدِه عادةً عن طريقِ الانغلاقِ في مجتمعٍ صغيرٍ متحاشياً الاختلاطَ بالآخرين أو غرباءِ)

(clap / lay / set) *one's* eyes on
لقي نظرةً عليه (شخصٌ أو شيءٌ)

class act ***(His performance last night was a class act.)*** — **على أعلى مُستوى ، شديدُ التميزِ**

claw *one's* **way back from** *something* — **يَخرجُ من أزمتِه أو ورطتِه** (عادةً بمعاناةٍ شديدةٍ)

claw *one's* **way to the top** — **يَصلُ للقمةِ بأيِّ ثمنٍ** (تستخدم عادةً لوَصف شخصٍ مصممٍ على بلوغِ غايتِه بكلِّ عزيمةٍ وبلا أيِّ هوادةٍ)

clean up *one's* **act** *(S)* — **يُحَسِّنُ من سُلوكِه ، يَرتقي بأدائِه**

(close / nice try), but no cigar *(S)* — **يَخيبُ مسعاهُ** (أن يَقطعَ الشخصُ مرحلةً طويلةً ولا يَنجحُ في إكمالِ كلِّ المطلوبِ منه فلا يَحصلُ على أي مقابلٍ لكلِّ مجهوداتِه)

close call (see "**close shave**" , "**narrow escape**") — **هروبٌ في آخرِ لحظةٍ ، نجاةٌ بأعجوبةٍ**

close quarters with *someone* — **علاقةٌ وطيدةٌ مع** (تُستخدَم عادةً في الحياة العسكرية)

close shave (see "**close call**" , "**narrow escape**") — **هروبٌ في آخرِ لحظةٍ ، نجاةٌ بأعجوبةٍ**

close the books on *someone or something* — **يَنتهي منه ، يَقطعُ علاقتَه به**

closed book (see "**open book**") — **شخصٌ مُتَكَتِّمٌ ، شخصٌ يَصْعُبُ سبرَ أغوارِه**

close-mouthed (see "**tight-lipped**")		لا يَنطقُ بكلمةٍ ، لا يَبوحُ بأيِّ شيءٍ
clutch at straws		يُحاولُ مُحاولةً يائسةً لطَرقِ أيِّ سبيلٍ للنجاة ، يَتعلقُ بقشةٍ
cock and bull story (see "**tall story**" , "**shaggy dog story**")	*(S)*	قصةٌ مُخْتَلَقَةٌ ، حكايةٌ يَستحيلُ تصديقُها
cock of the walk (see "**rule the roost**" , "**wear the pants / trousers**")		يَكونُ الآمرَ الناهي ، يصبحُ الحاكمَ بأمرِهِ (عادةً في محيط المنزل أو الأسرة)
Cocksure		مُؤَكَدٌ تماماً
cold comfort		سلوانٌ زهيدٌ ، تشجيعٌ غيرُ حارٍ
cold turkey	*(S)*	التوقفُ الفجائيُ عن عملِ شيءٍ ما (بلا تمهيدٍ أو بدون تدرُّجٍ)
cold war		الحربُ الباردةُ (صراعٌ يَتميزُ بالتهديدِ باستخدامِ القوةِ فقط وليس باستخدامِها فعلياً)
cold-blooded (see "**hot-blooded**")		قاسٍ ، عديمُ المشاعرِ (معنى مجازي) <> ذو دمٍ باردٍ (كالزواحف - معنى حرفي)

cold-call	**مُكالمةٌ من غيرِ سابقِ معرفةٍ ، اتصالٌ اعتباطيٌ** (عادةً لعميلٍ محتملٍ و بغرضِ بيعِ منتجٍ أو سلعةٍ)
(come / fall / go) together by the ears (see "**set together by the ears**")	**يَقعون في خلافٍ ، يَتنازعون**
(come / go) under the hammer (see "**(bring / put) under the hammer**")	**يُطرحُ للبيعِ في مزادٍ علنيّ**
(come / turn) up trumps	**يُنهي عملاً أو يَنجحُ في عملٍ بجدارةٍ على خلافِ التوقعاتِ**
come a cropper	**يَفشلُ ، يَسوءُ حظُّه**
come again?	**أَعِدْ ما قلتَ ، ماذا قُلتَ لِتوّكَ؟**
come away empty-handed	**يَخرجُ خاليَ الوفاض ، ينتهي صِفرُ اليدين**
come back to bite *someone*	**يَتسببُ في مشاكلَ مستقبليةٍ له**
come clean	**يَعْتَرِفُ أو يَبوحُ بكلِّ شيءٍ**
come down on *someone*	**يُوبّخُه ، يُؤنّبُه ، يَقولُ له ما يُسيئُه**
come hell or high water	**بغضِّ النظرِ عما سيحدثُ**

come into *one's* own		يَصيرُ مَحَلَّ تقديرٍ ، يَبلغُ ذروتَه
come of age		يَبلغ رُشدَه ، يَبلُغُ أشُدَّه ، يَملُكُ زِمامَ أمرِه
come off (of *one's* high horse / *one's* perch) (see "**(bring / pull / take) down a (peg / peg or two)**")		يَحُدُّ من اعتداده بنفسِه ، يُقللُ من تباهيه بذاتِه
come out at the little end of the horn		**يَفشلُ في عملٍ** (عادةً بعدما تباهى بإمكانياتِه وقدرتِه على القيامِ به)
come out flat-footed (see "**be caught flat-footed**")		**يَتخذُ موقفاً واضحاً** (لا غموضَ فيه أو لا يَحتملُ التأويلَ)
come out with *something*		يُعلنُه ، يَنشُرُه <> يُفتي به ، يَقولُه
(come to / meet) a sticky end	*(Br)&* *(Ar)*	يَموتُ موتةً بشعةً
come to blows		**يَدخلُ في عراكٍ** (يَضْرِبُ ويُضْرَبُ)
come to grief		يُخفِقُ ، يَخيبُ سعيُه
come to grips with *something*		يَتعاملُ معه بحزمٍ ، يُعاملُه بوضوحٍ <> يَقْبَلُ به ، يَتَقَبَّلُه

come to *oneself* — يَعودُ لرشدِه ، يَستردُّ صوابَه

come to the end of *one's* **(rope / tether)** (see "**flat on** *one's* **neck**") — يَستنفذُ آخر جهدِه ، يَقومُ بأقصى ما يَستطيعُ

come up with *something* — يَبتكرُه ، يُفكرُ فيه

come-hither ***(She gave him a come-hither look.)*** — وسوسةٌ ، دعوةٌ لممارسةِ الجنسِ

compassion fatigue — تناقصُ الرغبةُ في التبرعِ للأعمالِ الخيريةِ مع كثرةِ الإلحاحِ في الطلبِ

con *someone* **into** *something* — يُغرّرُ به للقيامِ بعملِ شيءٍ

con *something* **out of** *someone* — يَأخذُه منه بالنصبِ ، يَحتالُ عليه

cook *someone's* **goose** — يُفسِدُ خِطتَه ، يُحبِطُ ترتيبَه <> يَقتُلُه ، يَقضي عليه

cook the books — يَتلاعبُ في الحساباتِ (بغرضِ التهرّبِ من الضرائبِ)

cook with gas *(S)* — يَتماشى مع آخرِ صيحةٍ ، يُواكبُ زمانَه (حيث يُعَدُّ الطهيُ بالغازِ الطبيعيّ أحدثَ صيحةٍ)

cookie cutter		شخصٌ تقليديٌ ، امروٌ غيرُ متميزٍ ، نسخةٌ مُعادة (معنى مجازي) <> أداةٌ بسيطةٌ لتشكيلِ العجين إلى كعكاتٍ (معنى حرفي)
cool *one's* **heels**		يَنتظرُ طويلاً (تستخدم عادةً لوَصف انتظارِ شخصٍ آخر للذهاب سوياً لتأدية غرضٍ ما)
cop an attitude	*(S)*	يَتبنى سلوكاً عدوانياً ، يُنمّي توجّهاً عدائياً
copper bottomed	*(S)*	حقيقيٌ ، أصيلٌ <> أهلٌ للثقةِ
cork high and bottle deep	*(S)*	شديدُ السكرِ ، مخمورٌ جداً
cotton (on to / to) *someone or something*		يَتعرفُ عليه ، يَتفهمُه <> يُعْجَبُ به
cotton-picking ***(Keep your cotton-picking remarks to yourself.)***	*(S)*	لعينٌ ، ملعونٌ
couldn't (act / argue / fight) *one's* **way out of a paper bag**		لا يَنفعُ بمثقالِ ذرَّةٍ ، أداؤه سيءٌ جداً
count (noses / heads)		يَعُدُّ عددَ الحاضرين ، يَحْصُرُ عددَ الحُضورِ
cover *oneself* **with a wet back**		يَتّخذُ موقفاً لا يُمكنُ أخذُه على محملِ الجدِ ، يَقدمُ حججاً واهيةً

cow *someone* **into** *something*	**يُرهِبُه للقيامِ بعملٍ ما** (مستخدماً الشعورَ بالذنبِ أو العارِ)
crack the whip	**يَتصرفُ بغطرسةٍ ، يُعاملُ الآخرين بتسلطٍ <> يَأمرُ الآخرين بالإذعانِ**
crash a party	**يَحضُرُ حفلاً لم يُدْعَ إليه ، يَتطفّلُ على حفلٍ بغيرِ دعوةٍ**
crazy about *someone or something*	**شَديدُ الشَغفِ به ، متعلقٌ به**
(created / cut / made) out of whole cloth	**باطلٌ تماماً ، لا أساسَ له من الصحةِ**
creep up on *somebody or something*	**يَجدُ طريقَه خِلسةً إليه ، يَتمكنُ منه دون أن يَدري**
cross *one's* **fingers** (see "**keep** *one's* **fingers crossed**")	**يَتمنى الحظَ السعيدَ**
cross *one's* **heart**	**يُقْسِمُ ، يَحْلِفُ يَميناً** (كنايةً عن رسمِ علامةِ الصليبِ على الصدرِ حالَ أخذِ العهدِ أو القسمِ)
cross *one's* **mind**	**يَخطرُ على بالِه ، يَجولُ بخاطرِه**
crunch time (see "**high time**") ***(With the deadline in two days, it's crunch time.")***	**وقتُ العملِ ، وقتُ الجدِّ** (تستخدم عادةً لوَصف الوقتِ الذي يَجِدُّ فيه الجَدُّ ويَبطلُ فيه الهَزْلُ)

cry for the moon

يَتمنى المستحيلَ ، يَرغبُ فيما لا يَقدِرُ عليه

cry *one's* eyes out

ينتحِبُ ، يَبكي بشدةٍ

cry over spilt milk

يَبكي على اللبنِ المسكوبِ ، يَندمُ حيث لا يَنفعُ النّدمُ

cry wolf

يَستغيثُ بكذبٍ ، يَستنفرُ عن غيرِ حقٍ

curate's egg *(Br)*

مدحُ أمرٍ جديرٌ بالذمّ (من بابِ الحياءِ أو الأدبِ)

curry favor

يَتوددُ بشكلٍ مُبالغٌ فيه لنيلِ حظوةٍ ، يَتملقُ بإفراطٍ لجلبِ منفعةٍ

(cut / do / pull) a brodie *(Am)* *(S)*

يُخاطرُ بجسارةٍ <> يَفشلُ فشلاً ذريعاً
<> يَضغطُ على فراملِ السيارةِ بشدةٍ أثناءَ تحركِها بسرعةٍ مع لفِّ المَقودِ لآخرِه يميناً أو يساراً (فتزلقُ السيارةُ على عجلتيها الخلفيتين)

cut a melon (financial)

يُوزّعُ رِبحَ الأسهمِ على الشُركاءِ ، يُوزعُ المَقْسُومَ على المُساهمين (مُصطلحٌ ماليٌّ)

cut a rug *(S)*

يَرقصُ (مصطلحٌ قديمٌ)

cut a (swath / wide swath) ***(The young woman cut a (swath / wide swath) everywhere she went.) & (The hurricane cut a (swath / wide swath) of damage through the region.)***	**يَجتذِبُ الانتباه ، يَلفتُ النظرَ <> يَجلبُ الخرابَ ، يُدمِّرُ**
cut and run	**يَهْرُبُ ، يَفِرُّ**
cut (both / two) ways	**يُؤثرُ بنفسِ الدرجةِ على الطرفين**
cut capers	**يَمرحُ بصخبٍ ، يَقصِفُ**
cut off *one's* **nose to spite** *one's* **face**	**يُؤذي نفسَه بنفسِه ، يَخربُ دارَه بيديه** (عادةً بِنيةِ ايذاءِ شخصٍ آخرٍ)
cut off without a penny	**محرومٌ من الإرثِ**
cut *one's* **eyeteeth**	**يَرْشُدُ ، يَصيرُ عاقلاً** (تستخدم عادةً لوَصف بلوغِ طفلٍ مرحلةَ النضجِ وفهمِ الحياةِ)
cut out for *something* ***(You are not cut out for this job.)***	**مُؤهلٌ له ، أَهلٌ له**
cut the coat according to the cloth *(Br)*	**يَعيشُ في حدودِ إمكانياته ، يَكونُ مُدَبِّراً أو مُقْتَصِداً**

<u>**cut the deadwood out**</u> ***(The company will be better of if we cut the deadwood out.) & (They cut a lot of the deadwood out to save the tree.)***

يَتخلصُ من العَمالةِ المُستهلَكة (أي التي لا لزومِ لها - معنى مجازي) <> **يُقلمُ شجرةً** (بالتخلصِ من الفروعِ الميتةِ أو اليابسة - معنى حرفي)

<u>**cut the ground from under**</u> <u>*someone's*</u> <u>**feet**</u> ***(Her action today was not an act of grace. It was an attempt to cut the ground from under my feet by showing that she cares about my mom than I do.)***

يَسحبُ البساطَ من تحت قدميه ، يُقللُ من شَأنِه (عادةً بالقيام بفعلٍ أفضلَ و في العَلنِ)

<u>**cut to the chase!**</u>

ادخُلْ في لُبِّ الموضوعِ! ، دعكَ من المقدّمات!

D

damp squib	**أمرٌ مُخيبٌ للآمال ، شيءٌ مخزٍ <> شخصٌ فاشلٌ فشلاً ذريعاً**
Daniel come to judgment	**أخيراً جاءَ لحلِ المشكلةِ من هو أهلٌ لها**
dark horse	**الحصانُ الأسودُ ، شخصٌ مغمورٌ يصعدُ للقمة بسرعةٍ**
Davy Jones's locker	**هُوَّةٌ بلا قرارٍ ، قاعُ البحرِ أو المحيطِ السحيقِ** (حيث تقبع جثث كل من ماتوا في البحر)
dead and buried	**وَلَّى بلا رجعةٍ ، ذَهَبَ بلا عودةٍ**
dead cat bounce	**تعافي محدودٌ ومؤقتٌ** (تستخدم عادةً لوَصف التعافي المؤقتِ لسوقِ المالِ بعد هبوطٍ مدوٍ)
dead in the water	**مَعطوبٌ ، مُعَطَّلٌ <> عاجزٌ عن الحركةِ**
dead ringer *for somebody or something*	**شبيهٌ طِبْقُ الأصلِ ، مَثيلٌ**
dead to rights ***(The police caught the thief dead to rights with my wallet.)***	**مُتَلَبِّسٌ ، في نفسِ وقتِ قيامِه بعملِ شيءٍ**

deep-six (see "**six feet under**") — **يَتخلّصُ من ، يُدمرُ تماماً ، يُنهي**

delusions of grandeur — **إحساسٌ كاذبٌ بالسموِ ، جنونُ العَظَمَةِ**

designer stubble — **تركُ اللحيةِ تنمو قليلاً لإعطاءِ انطباعٍ بالخشونةِ أو بالرجولةِ**

diamond in the rough — **شخصٌ طيبُ المعدنِ لكنه غيرُ مهذبِ السلوكِ ، امرؤٌ سليمُ الطويةِ ولكنه سيءُ المعاشرةِ**

did the cat get your tongue? *(S)* — **لا أسكَتَ اللهُ لكَ حِسّاً** (تهكمٌ على شخصٍ سكت فجأةً عن الكلام)

die hard — **شخصٌ شديدُ المِراس** (لا يَعدِلُ عن رأيِه متحدياً كل الظروف)

die with *one's* **boots on** — **يَموتُ مَوْتَةً غيرَ طبيعيةٍ** (في معركةٍ أو في أثناء تأدية واجبِه)

different kettle of fish (see "**(fine kettle / kettle / pretty kettle) of fish**") — **أمرٌ مختلفٌ بِرُمَّتِهِ ، شيءٌ مختلفٌ تماماً**

differently abled — **مؤهلٌ بشكلٍ مغايرٍ ، قادرٌ بشكلٍ مختلفٍ** (مصطلحٌ أكثرُ قبولاً يحلُّ محلَّ "عاجزٍ" أو "معوقٍ")

dirt bag (see "**dirty dog**") *(S)* — **شخصٌ دنيءٌ ، امرؤٌ حقيرٌ**

dirty dog (see "**dirty bag**")	*(S)*	**شخصٌ دنيءٌ ، امروٌ حقيرٌ**
dish fit for the gods		**عرضٌ مغري جداً ، أمرٌ عظيمٌ جداً**
do away with *oneself*		**يَنتحرُ**
do away with *someone*		**يَعْزِلُه من وظيفته ، يَخلعُه من منصبِه**
do away with *something*		**يَقضي عليه ، يَتخلّصُ منه**
dock *one's* **pay**		**يَستقطعُ أو يَخْصِمُ من راتبِه**
doff *one's* **hat**		**يَرفعُ قبّعتَه قليلاً** (كتحيةٍ أو كاحترامٍ لشخصٍ آخرٍ)
dog days		**أيامٌ شديدةُ الحرارةِ في شهري يوليو** (تموز) **وأغسطس** (آب)
dog eat dog		**كالغابةِ البقاءُ فيها للأقوى ، كلٌّ يَنهشُ لحمَ الآخرِ**
dog in the manger		**شخصٌ حاقدٌ ، إمروٌ سيء الطَوِيَّةِ ، شخصٌ يمنع الآخرين من الاستفادة من أشياءٍ على الرّغم من أنه لا يرغب فيها**

<u>dog's (breakfast / dinner)</u> ***(I cannot believe that I trusted him to paint the bedroom. He made a dog's breakfast / dinner of it.)*** *(Br)* *(S)* **فوضى شاملةٌ ، لَخْبَطةٌ**

<u>dog-tired</u> **مُنْهَكٌ تماماً ، مَيِّتٌ من التعبِ**

<u>don't sweat it!</u> **لا تدعْ هذا الأمر يشغلك! ، لا تُعِرْهُ اهتماماً!**

<u>(done / dressed) up like a dog's dinner</u> **يَرتدي ملابساً مُضحِكَةً ، يَلبسُ ثياباً غيرَ ملائمةٍ لحدثٍ** (مثلَ ارتداءِ الجينز في حفلٍ تُرتدى فيه بِدْلَةٌ وربطةُ عنقٍ)

<u>(done / roasted) to a turn</u> **مطهوٌ جيداً ، مطهوٌ بالدرجةِ الكافيةِ**

<u>donkey's years</u> **وقتٌ طويلٌ جداً ، زمنٌ لا يَنتهي**

<u>doom and gloom</u> **شعورٌ باليأسِ والإحباطِ**

<u>double cross</u> **يَغِشُ ، يَخدَعُ** (شريكَه)

<u>double Dutch</u> *(Br)* *(S)* **كلامٌ غير مفهومٍ ، رطانةٌ**

<u>double entendre</u> (French) **مجازٌ ، تعبيرٌ مجازيٌ** (تستخدم عادةً لوَصف عبارةٍ لها معنيان أحدهما

مباشرٌ وبريءٌ والآخر غيرُ مباشرٍ وخبيثٌ)

double in brass ***(My current job doesn't pay much. I will need to double in brass.)***

يَعملُ أكثرَ من عملٍ ، يَقومُ بأكثرِ من وظيفةٍ

double take

ردُّ فعلٍ مُتأخرٍ (عادةً تُوَظَّفُ بشكلٍ ساخرٍ في الأعمالِ الفنيةِ)

double whammy

ضربتان في الرأسِ ، ضربةٌ تلو الأخرى

doubting Thomas

شخصٌ يَأبى أن يُصدقَ أيَّ شيءٍ بلا برهانٍ أو دليلٍ

(down / fit / suit) to a T

بدقةٍ ، بالضبطِ ، يلائمُهُ تماماً

(down / out) at the heels

رَثٌّ ، يَبدو عليه الإهمالُ <> فقيرٌ ، مُحتاجٌ

down in the dumps (see "**in the doldrums**")

مُحْبَطٌ ، معنوياتُه متدنّيةٌ ، تَعيسٌ

down on *one's* luck

يُمْنَى بسوءِ الحظِّ ، يَعْثُرُ حظُّه

down the (pan / tubes)

مستَهلَكٌ ، ناضِبٌ

down to the wire

لمُنتهَى النهايةِ ، حتى آخرِ لحظةٍ

drag *one's* feet

يَتأخرُ عَمداً عن فعلِ شيءٍ (معنى مجازي) ، يَتحرّكُ ببطءٍ ، يُجرجِرُ أقدامَه (معنى حرفي)

drag race (see "**burn rubber**")

سِبَاقُ التَّسَارُع (تستخدم عادةً لوصف سباقٍ ذي سرعةٍ عاليةٍ و لمسافةٍ قصيرةٍ) <> يَتَسَابَقُ في سِبَاقِ تَسَارُعٍ

drama queen

امرأةٌ تأخذُ كلَّ الأمورِ بعاطفيةٍ مُبَالَغٌ فيها (قد يُستخدمُ أيضاً لوصفِ رَجلٍ)

(draw / get) a bead on *someone or something* ***(Whenever I (draw / get) a bead on what his goal is, I will let you know.) & (You need to (draw / get) a bead on the target before you pull the trigger.)***

يَلِمُّ به ، يَتجهزُ له ، يَستعدُ له (معنى مجازي) <> يَضعُه في مرمى ذخيرتِه (معنى حرفي)

(draw / pull) *one's* chestnuts (from / out of) the fire

يَتجاوزُ مأزقاً بنجاحٍ ، يَنجحُ في مهمةٍ صعبةٍ

(draw / pull) *one's* horns in

يَحِدُّ من حَمِيَّتِهِ ، يُخَفِّضُ من طموحِه

draw (a / the) longbow

يُبالغُ مبالغةً شديدةً ، يُهَوّلُ تهويلاً شديداً (لدرجةِ أن يَصيرَ كلامُه كذباً صُراحاً)

draw a blank		يَعجَزُ عن تذكُّرِ شيءٍ <> يُحدسُ أو يُخمِّنُ بالخطأِ
draw the line		**يَبلغُ مداه ، يَصلُ لأقصى حدِّه** (تستخدم عادةً لوَصف بلوغِ الشخصِ حدّاً من التسامحِ أو التهاونِ لن يَسمحَ للآخرين بتجاوزِه معه)
dressed to the nines		**يَرتدي ملابساً مُبهرجةً أو مُزخرفةً**
(drift / go) with the (flow / stream)		**يَسبحُ مع التيار ، يُسايرُ**
drink like a fish		**يَشربُ بنَهَمٍ** (خَمْرٌ)
(drive / push) *someone* **to the wall**		**يَضَعُه في موقفٍ حرجٍ ، يُلْجِئُه إلى وضعٍ صعبٍ**
(drive / send) *someone* **up the wall**		**يُزعجُه ، يُغضِبُه**
drop a bombshell		**يُلقي خبراً كالصاعقةِ**
drop a dime	*(S)*	**يَتصلُ تليفونياً** (عادةً بالشرطة)
drop behind *someone*		**يَتأخَّرُ عنه ، يَتخلَّفُ عنه**

drop in the (bucket / ocean)		قطرةٌ في بحرٍ ، أمرٌ جدُّ زهيدٍ من مجملِ أمرٍ ضخمٍ
drop out of *something*	*(S)*	يَتوقفُ عنه ، يَنسحبُ منه
drop *someone* **a (line / note)**		يَكتبُ له خطاباً أو ملاحظةً
drop the other shoe		يُنهي أمراً بدأه سابقاً ، يُكملُ عملاً
drop-dead ***(That gown looked drop-dead beautiful on her. She looks drop-dead gorgeous.)***	*(S)*	ساحرٌ ، فاتنٌ
dropping like flies		يَتساقطون كالذبابِ ، يَتساقطون بِأعدادٍ كبيرةٍ (موتى أو مرضى)
drunk tank	*(S)*	مكانُ حبسٍ مؤقتٍ للسكارى
(dust up / dustup)	*(S)*	شِجارٌ ، عِراكٌ
Dutch treat		الذهابُ لمطعمٍ في مجموعةٍ مع الاتفاقِ على أن يَتحمّلَ كلُّ شخصٍ تكاليفَ طعامِه وشرابِه
dyed in the wool		عاداتهُ متأصلةٌ فيه ، طِباعُه أصيلةٌ فيه ، غيرُ مَرِنٍ ، متشبثٌ برأيِه

E

eager beaver
شديدُ الحَمِيَّة ، يَكدحُ بلا كللٍ

ear candy
موسيقى أخاذةٌ لوقتٍ قصيرٍ (ولكنها لا تُطْرِبُ على المدى الطويلِ) <>
شخصٌ ذو صوتٍ جميلٍ في الحديث أو ذو لكنةٍ محببةٍ

early bird
شخصٌ يَبدأُ يومَه مبكراً

earmark (see "**pork barrel**") *(Am)*
مالٌ مخصصٌ ، مُخصصاتٌ ماليةٌ (لمشروعٍ محددٍ أو لغرضٍ معينٍ)

(earn / win) *one's* **(spurs / stripes)**
يَتبوأُ منزلةً عاليةً ، يُحرزُ مكانةً متميزةً (بين أقرانِه وعن طريقِ عملٍ جادٍ أو إنجازٍ متميزٍ)

easy money
مكسبٌ سريعٌ (عادةً عن طريقٍ غير شريفٍ)

easy-peasy *(S)*
شديدُ السهولةِ

eat crow
مضطرٌ إلى تَقَبُّلِ خسارةٍ مُهينةٍ ، يَأكلُ الغائطَ (معنى مجازي)

English	Arabic
eat humble pie	عتذرُ بخنوعٍ ، يَتقبَّلُ الـهزيمةَ ويَتجرّعُ رارتَها
eat like a bird	أكلُ أقلَّ القليلِ ، يَأكلُ كالعصفورِ
eat like a horse	أكلُ بنـهمٍ شديدٍ
eat *one's* hat ***(I will eat my hat if you pass this exam.)***	قطعُ يدي لو صارَ هذا الأمرُ (للتعبيرِ عن استحالة حدوث أمرٍ ما)
eat *one's* heart out ***(You can eat your heart out. We will go on vacation and you can't stop us.)***	غارُ من <> يَشعرُ بالمرارةِ بسببِ
eat *one's* words	رجعُ عن كلامِه ، يَسحبُ وَعدَه
eat out of *one's* hand ***(David is very happy to have this job, and he takes pride of eating out of his own hand.)***	أكلُ من عَملِ يَديه
eat out of *someone's* hand ***(After I showed him who is the boss, he is now eating out of my hand.)***	تذللُ له , يُطيعُه طَاعةً عمياء
eat (salt with *someone / someone's* salt)	أكلُ معه خبزاً وملحاً ، يُصادقُه ، يحُلُّ عليه ضيفاً
eat *someone* out of house and home	أكلُ كلَ ما لديه من طعامٍ ، يَستنزفُ لَ خيرِه

egg *someone* **on** (*doing something*) — **يَتحدّاه أن يَجرؤَ على عملِ شيءٍ** (عادةً شيءٌ خبيثٌ أو خطيرٌ)

elbow grease (S) — **عَملٌ شاقٌ ، مَجهودٌ دَؤوبٌ**

elbow *someone* **out of** *something* ***(The board of directors was able to elbow the CEO out of the company.)*** — **يُخرجُه ، يُزيحُه** (عنوةً في أغلب الأحيان)

end of story — **انتهى الكلامُ ، لا يُوجدُ ما يُقالُ بعدَ الآن**

ethnic cleansing — **التطهيرُ العِرْقِي** (استباحةُ طائفةٍ أو أقلّيةٍ عِرْقِيَّةٍ)

even at the turning of the tide — **تَبَدُّلُ الحالِ عمّا كان عليه** (بعد هدوءِ العاصفةِ أو مرورِ الأزمةِ)

everything but the kitchen sink — **كلُ شيءٍ تقريباً ، جميعُ الأشياءِ عدا القليلِ**

eye to eye with *someone* **on** *something* ***(I see eye to eye with my wife on how to manage our tight budget.)*** — **متفقان في وجهاتِ النظرِ بخصوصِ** (شيءٍ أو أمرٍ)

eyes (be) popping out of *one's* **head** ***(Her eyes will be popping out of her head when she sees my new car.) & (They entered the mansion with eyes popping out of their heads.)*** — **يَندهشُ مما يَراهُ ، يُذهلُه ما يَرى**

F

face (homely enough to / that could) stop a clock (see "**face that only a mother could love**")

وَجهٌ دَميمٌ ، وجهٌ قميءٌ

face in the crowd (see "**fish in the sea**" & "**pebble on the beach**")

شخصٌ تافهٌ ، امرؤٌ بلا قيمةٍ

face that only a mother could love (see "**face (homely enough to / that could) stop a clock**")

وَجهٌ دَميمٌ ، وجهٌ قميءٌ

fair and square

عادلٌ وعن حقٍ (تستخدم عادةً لوَصف المعاملاتِ المالية والصفقات)

fair (crack of the whip / go / shake of the dice)

فرصةٌ عادلةٌ

fair dinkum (see "**fair play**") *(Au)*

مساواةٌ ، عدلٌ <> اللعبُ طبقاً للقواعدِ

fair play (see "**fair dinkum**")

مساواةٌ ، عدلٌ <> اللعبُ طبقاً للقواعدِ

fair to middling

فوقُ المتوسطِ بقليل

fair weather friend

صديقٌ لا يَعرفُك وقتَ الضيقِ ، صديقٌ لا يُعَوَّلُ عليه

fall between two stools		يَفشلُ بسببِ عدمِ اختيارِه أو تردّدِه بين أمرين
fall guy (see "**whipping boy**")	*(S)*	كبشُ فداءٍ <> شخصٌ سهلُ الخداعِ (يُلقي عليه الآخرون أعباءَهم أو مسؤولياتِهم)
fall on *one's* sword		يُقِرُّ بالمسؤوليةِ عن أخطاءِه <> يَتقدمُ باستقالتِه اعترافاً بأخطاءِه <> ينتحرُ
fall out with *someone*		يَتشاجرُ معه ، يَتقاتلُ معه
fancy free (see "**no strings attached**")		بلا قيودٍ ، بدونِ التزاماتٍ
fancy pants	*(S)*	مُتعاجبٌ ، مُختالٌ
far be it from me to		لا سَمحَ الله أن (أفعلَ شيئاً)
far from the madding crowd		بعيدٌ عن صَخَب المدينةِ
fashion victim		عبدٌ لكلِّ صَرْعَةٍ
fast and loose		غيرُ ثابتٍ ، لا يُعتمدُ عليه

fast ball ***(You can't ask me to shy off using Latin words in my speeches. I won't give up my fast ball. After all, I am a lawyer!)***

أفضلُ مهارةٍ ، أقوى مَلَكَةٍ (معنى مجازي) <> كرةٌ (بيسبول) يَقذفُ بها الرامي بأقصى سرعتِه (معنى حرفي)

fast buck *(S)*

مالٌ سريعٌ بلا مجهودٍ (عادةً عن طريقٍ غيرِ شريفٍ أو غير قانونيّ)

fast talk

كلامٌ مدهونٌ ، حديثٌ مزوقٌ بغرضِ الخداعِ

feather in *one's* **cap**

رمزٌ لشرفٍ رفيعٍ ، دلالةٌ على إنجازٍ عظيمٍ

feather *one's* **nest**

يَدَّخِرُ ثروةً لآخرِ أيامِه أو لهِرَمِه

fed up (see "**browned off**")

صَبَرَ على مكروهٍ لآخرِ قدرتِه ، لن يَتحملَ المزيدَ

feed *one's* **parking meter** (see "**plug** *one's* **parking meter**")

يَضَعُ رصيداً في عدَّادِ الانتظارِ الخاصِ بسيارتِه

feels like a million bucks *(S)*

عظيمٌ ، رائعٌ

fell off the back of a (lorry / truck) *(S)*

مسروقٌ ، تم التحصل عليه بشكلٍ غير شرعيٍّ

few and far between

قليلٌ في العددِ ومتناثرٌ

fiddle while Rome burns

يَشغلُ نفسَه بسفاسفِ الأمورِ ويُهملُ كارثةً محققةً

fidus Achates (Latin)

صديقٌ مُخلصٌ ، صديقٌ يُعَوَّلُ عليه

fifth column

الطابورُ الخامسُ ، الخَونةُ ، العملاءُ

fight fire with fire

لا يَفِلُّ الحديدَ إلا الحديدَ ، يَتصدى لأزمةٍ بالشدةِ اللازمةِ

fight like (cat and dog / cats and dogs) ***(Tom's kids are so sweet. However, they fight like (cat and dog / cats and dogs) all the time.)*** *(Au)* & *(Br)*

يَتخاصمُ بعنفٍ أو يُشَاكسُ (طوال الوقت)

fight tooth and (claw / nail)

يُقاتلُ بالروحِ والدمِ <> يُضحي بالغالي والرخيصِ (للوصولِ لغايتِه)

fill *someone* **in on** *something*

يُحيطُه علماً به ، يُطْلِعُه على آخر التطوراتِ

fill *someone's* **shoes**

يَحِلُّ مَحَلَّه ، يقومُ بدورِه

fill the bill ***(You don't need to buy me an expensive car. Any cheap car will fill the bill.)***

يَسُدُّ الغرضَ ، يَفي بالحاجةِ

(filthy / stinking) rich

غنيٌ غِنى فاحشاً

filthy lucre	مال مُلَوَّثٌ ، مال يُكْتَسَبُ عن طريقٍ غيرِ شريفٍ
find *one's* **feet**	يَستطيعُ التعاملَ مع موقِفٍ ، يَتأقلمُ مع مُستجَدٍّ
find *oneself*	يَعرفُ حقيقةَ نفسِه ، يَعلمُ هدفَه في الحياةِ
(fine kettle / kettle / pretty kettle) of fish (see "**different kettle of fish**")	أمورٌ عديدةٌ مختَلَطةٌ ، أمورٌ متشابكةٌ معقدةٌ
(fire / hit) on all cylinders	يَعملُ بأقصى جهدِه ، لا يَألو جهداً <> يُحْسِنُ صُنْعاً أو أداءً
fire in (*one's* **/ the) belly** ***(Jim approached the committee with a lot of fire in*** *his* ***/ the belly)***	عَزيمةٌ على فعلِ ما ينبغي ، إصرارٌ على القِيامِ بما يَجبُ عَمَلُه
(fish / fish up) the wrong stream ***(Your keys aren't here. You are (fishing / fishing up) the wrong stream.)***	يَبحثُ (عن شيءٍ) في المكانِ الخَطأ ، يُفتشُ (عن شيءٍ) في غيرِ مَحلِّه
fish in the sea (see "**face in the crowd**" & "**pebble on the beach**")	شخصٌ تافهٌ ، امرؤٌ بلا قيمةٍ
fish in troubled waters (see "**pour oil on troubled waters**")	يَصطادُ في الماءِ العَكِرِ ، يَتربَّحُ من مصائبِ غيره

fish or cut bait (see "**put up or shut up**")

إما أن تؤدي العملَ على ما يُرام أو تتركهُ لغيرك <> لابد أن تُقررَ بين الاختيارين

fish out of water

شخصٌ في مكانٍ غيرِ مناسبٍ له ، امروٌ في موقفٍ غريبٍ عنه

fit to be tied

يَغلي من الغضبِ ، تَثورُ ثائرتُه

five o'clock shadow

لحيةٌ خفيفةٌ (نُمو اللحيةِ في نهايةِ يومِ العملِ بالرغمِ من حِلاقتِها في صباحِ ذاتِ اليومِ)

fix *someone* up with *someone*

يَجمعُه في موعدٍ غراميٍ مع شخصٍ آخرٍ

fix *someone's* wagon *(S)*

يُعاقبُه <> يَأخذُ بحقّه منه

(fixed / set) in *one's* ways

متشبثٌ برأيه ، لا يَتزحزحُ عن رأيِه <> لا يُغيرُ عاداتِه

flag *somebody or something* down
(The young man went to flag a taxi down for me.)

يُشيرُ إليه لكي يَتوقفَ

flash in the pan

أمرٌ يبدأ بضجةٍ كبيرةٍ وينتهي للا شيءٍ

flat on *one's* neck (see "**come to the end of *one's* (rope / tether)**")

مُستنفذٌ لآخرِه ، في حالٍ ميؤوسٍ منه

flat out		بأقصى طاقةٍ ، بأقصى سرعةٍ <> بطريقةٍ مباشرةٍ أو بمنتهى الوضوحِ
flea in *one's* **ear**		فكرةٌ تُؤَرِّقُه ، هاجسٌ يُلِمُّ به
flea market		سوقُ السلعِ المُستخدمةِ ، سوقُ الخُردةِ
flesh out *something*		يُدَعِّمُه بالأدلةِ الماديةِ
flotsam and jetsam (see "**bits and pieces**")		أشياءٌ وفُتاتٌ ، قِطَعٌ صغيرةٌ
fly by the seat of *one's* **pants**	*(S)*	يَتخذُ خطواتِه بناءً على مجرياتِ الأحداثِ وليس بتخطيطٍ مُسْبَقٍ
fly in amber		شخصٌ أو شيءٌ عديمُ الأهميةِ (يَستمدُ أهميةً بكونه تابعاً لشخصٍ آخر مهمٍ) <> تِذكارٌ من الماضي
fly in the ointment		شخصٌ تافهٌ ، أمرٌ لا قيمةَ له (و لكنه يُفسدُ أمراً جَلَلاً بوجودِه فيه)
fly off the handle		يَفقدُ حِلْمَه ، يَفقدُ تحكمَه في نفسِه
fly on the wall		في وضعٍ يُمَكِّنه من مراقبةِ ما يَجري دونَ أن يُلاحظَه أحدٌ

fly the coop	*(Am)* *(S)*	**يَفرُّ من سجنِه ، يَهربُ من مَحبسِه <> يَفرُّ خِلسةً ، يُغادرُ بدون إذنٍ**
fly-by-night		**شخصٌ مراوغٌ يَتهربُ من ديونِه <> شركةٌ تجاريةٌ تمارسُ عملاً مشبوهاً أو غيرَ جديرٍ بالثقةِ**
foam at the mouth		**فَمُه يُرغي أو يُزبدُ** (من شِدّة الغَضبِ)
fob *something* **off (on / with)** *someone*		**يَغشُه ، يَخدعُه** (تستخدم عادةً لوَصف إرضاءِ العميلِ أو المُشتري بشيءٍ أقل في قيمتِه مما اتُفِقَ عليه)
follow *one's* **nose**		**يَتبعُ ما تُمليه عليه غريزتُه <> يَسيرُ في خطٍ مستقيمٍ**
fool's paradise		**أخو الجهالةِ في الشقاوةِ يَنْعَمُ ، نعيمُ المرءِ بحكمِ جهلِه بما يَحدثُ**
foot in the door		**مقدمةٌ تفتحُ البابَ لتطوراتٍ لاحقةٍ** (عادةً أمورٌ مُستَحَبَّة)
for a song	*(S)*	**بثمنٍ زهيدٍ أو بَخْسٍ**
for all *one is* **worth**		**لأقصى طاقتِه ، بأشدِّ عزمِه**
for crying out loud		**و حَقُّ الله ، بحَقِّ الربِّ**

for good	للأبدِ
for good measure	كإضافةٍ ، كزيادةٍ ، من بابِ الاحتياطِ
for my money ***(For my money, it's not a very reliable car.)***	في اعتقادي ، في رأيي
for the birds	لا يَخدعُ إلا الأحمق ، بلا أيِّ قيمةٍ (تستخدم عادةً لوَصف شيءٍ)
for the life of me	على الإطلاقِ ، في حياتي لم أرَ
for what it's worth ***(I will give you my opinion for what it's worth.)***	حتى وإن لم يَكنْ له نفعٌ ، حتى وإن كان عديمَ الأهميةِ
forbidden fruit	الثمرةُ المحرمةُ ، أمرٌ يُمكنُ عملُه ولكنه يُوَدي للهلاكِ
foregone conclusion	حُكْمٌ مُسْبَقٌ ، نتيجةٌ حتميّةٌ لا مفرَّ منها
forever and a day	لمالا نهاية ، إلى الأبدِ
forlorn hope	أَمَلٌ يائسٌ <> كتيبةٌ من الجنودِ تُرْسَلُ في مهمةٍ شبهِ مستحيلةٍ
foul play	سلوكٌ خادعٌ ، عملٌ غيرُ أمينٍ

four flush	**خداعٌ بوهمٍ كاذبٍ**
(free base / freebase)	**يُنقي الكوكايين** (بإذابتِه في مذيبٍ ساخنٍ ثم يَفصلُه ويُجففه)
friend at court	**شخصٌ ذو منصبٍ أو جاهٍ يَستخدمُه لمنفعةِ شخصٍ**
frog in the throat	**حشرجةٌ في الحَلْقِ ، بَحَّةٌ في الصوتِ**
from A to Z (see "**from alpha to omega**")	**من الألفِ إلى الياءِ ، كلُّ شيءٍ**
from alpha to omega (see "**from A to Z**")	**من الألفِ إلى الياءِ ، كلُّ شيءٍ**
from day one	**من أولِ يومٍ ، منذ البدايةِ**
from hell to breakfast ***(I looked for my car keys from hell to breakfast, but never found them.)*** *(V)*	**في كلِّ مكانٍ ، من مشرقِ الأرضِ لمغربِها**
from pillar to post	**جيئةً وذِهاباً ، بَينَ هذا وذاكَ**
from rags to riches	**من الفقرِ المدقعِ للغنى الفاحشِ**
from scratch	**من نقطةِ الصفرِ ، من بدايةِ المبتدى**

from the horse's mouth			رأساً من أعلى سُلطةٍ ، من الخبيرِ ببواطنِ الأمورِ
from tip to toe			من قمةِ الرأسِ لأخمصِ القدمين ، من أعلى نقطةٍ لأسفلِ نقطةٍ
fruit of *one's* loin			سُلالتُه ، نَسلُه ، أَولادُه
fuddy-duddy	*(Br)*	*(S)*	شخصٌ على الطراز القديم ، امرؤٌ متمسكٌ بالتقاليدِ الباليةِ
(full / packed) to the gunwales	*(Br)*	*(S)*	مملوءٌ لآخرِه ، ممتلئٌ عن آخرِه
full of (beans / prunes / the devil)			شَقِيٌ ، مفعمٌ بالنشاطِ
full (steam / throttle / tilt)			بأقصى سرعةٍ ، بأشدِّ طاقةٍ

G

<u>**game of two halves**</u> *(Br)* تَغَيُّرُ الظروفُ بشكلٍ مفاجئٍ

<u>**Garrison finish**</u> فوزٌ مَشْهَدِيٌّ أو دِرَامِيٌّ (الفوزُ في آخر لحظة بعدَ أن كانت الهزيمةُ مُحققةً)

<u>**(get / grate) on *someone's* nerves**</u> **(see "<u>get on *someone's* wick</u>")** يُضايقُه ، يُعكّرُ مزاجَه

<u>**(get / have) a big head**</u> يُفرطُ في الثقةِ بنفسِه ، يَتَعالى

<u>**(get / have) a black eye**</u> **(see "<u>give a black eye</u>")** يَصيرُ موصوماً بالعارِ ، تتلطخُ سمعتُه (معنى مجازي)

<u>**(get / have) a handle on *something***</u> ***(After much trial and error, I finally (got / had) a handle on that math problem.)*** يَستطيعُ فهمَه ، يَسبرُ أغوارَه (تستخدم عادةً لوَصف النجاحِ في فهمٍ أو تعلُّمِ أمرٍ بعد عدةِ محاولاتٍ غيرِ ناجحةٍ)

<u>**(get / have) cold feet**</u> يَجْبُنْ أو يُحْجِمْ عن عملِ شيءٍ خصوصاً في اللحظة الأخيرة

<u>**(get / have) egg on *one's* face**</u> يَخْجَلُ من فعلٍ قامَ به

<u>**(get / have) *someone's* back**</u> ***(It's a tough political fight, but I know you*** يَدعمُه ، يُؤيّدُه ، يَحمي ظهرَه (نَشأ هذا المصطلحُ في الحياةِ العسكريةِ

have my back.) & (When you go in to talk to the boss, I've got your back.)		والشرطةِ حينَ يَقتحمُ فرداً موقعاً حصيناً ويَحميه آخرُ خلفه)
(get / have) the drop on *someone*		**يَتَجَاوَزُه بمراحلٍ ، تَكونُ له اليدُ العليا عليه**
(get / have) the pip **(see "get** *one's* **(dander / monkey) up")**	*(Br)* *(S)*	**يَتضايقُ ، يَصيرُ مستثاراً ، يَغضبُ**
(get / put / set) *one's* **back up**		**يَتَمَلَّكُهُ الغضبُ ، يُسْتَشَاطُ غضباً**
get a (charge / kick) out of *something*		**يَفْتَتِنُ به ، يَخْتَلِجُ منه ، يُسْتَثَارُ به**
get a word in edgeways		**يشترك في حوار يَسُودُهُ شخصٌ آخر** (لا يعطي الآخرين فرصةً للتحدث)
get down to (brass tacks / grass roots)		**يَتعاملُ مع الحقائقِ المُجَرَّدَةِ ، يَسترجعُ المبادئَ الأساسيةَ**
get enough nerve up to (do something)		**يَستجمعُ شجاعتَه لـ** (عملِ شيءٍ)
get in *someone's* **hair**		**يُسبّبُ له ضيقاً ، يُزعجُه ، يُكَدِّرُه**
get it all together		**يَستجمعُ قواه** (العقلية والبدنية) ، **يَشحذُ همّتَه**
get it in the neck		**يَنهزمُ هزيمةً مُنكرةً <> يُعاقَبُ بشدةٍ**

get it off *one's* chest يُحَدِّثُ بما يُضايقُه ، يَشتكي

get lost! اغربْ عن وجهي! اذهبْ في مصيبةٍ!

get off a few good ones يُلقي عدةَ نكاتٍ مضحكةً <> يُمْطِرُ خصمَه بوابلٍ من اللكماتِ <> يَنتقدُ انتقاداتٍ عديدةً لاذعةً

get off on the wrong foot (see "**hit the ground running**") يَبدأُ بدايةً غيرَ مُوَفَّقَةٍ

get off *one's* (back / tail) يَتوقفُ عن مُضايقتِه ، يَتوقفُ عن مُلاحقتِه أو تتبُّعِه

get on *someone's* wick (see "**(get / grate) on *someone's* nerves**") *(S)* يُضايقُه ، يُعكّرُ مِزاجَه

get on the wrong side of the law يَقعُ في مشاكلَ مع الشُرطةِ (بسببِ مخالفتِه للقانونِ)

get *one's* act together يَصيرُ مُرَتَّباً ، يَكونُ مُنَظَّماً

get *one's* claws into *someone* يَجدُ وسيلةً أو مَدخلاً إليه ، يُسيطرُ عليه

get *one's* comeuppance يَنالُ جزاءَ عملِه ، يُقْتَصُّ منه

get *one's* **(dander / monkey) up** (see "(**get / have) the pip**")	*(S)*	يَتضايقُ ، يصيرُ مستثاراً ، يَغضبُ
get *one's* **goat**	*(S)*	يُغْضِبُه ، يُثِيرُ غَضَبَه
get out of *someone's* **hair**		يَتوقفُ عن مضايقتِه ، يَكفُّ عن إزعاجِه
get rid of *someone or something*		يَتخلّصُ منه ، يَتخلّصُ من شئ
get the (ax / brush-off) (see "**give the (ax / brush-off)**") ***(My girlfriend stopped calling me. I guess I've gotten the brush-off.)***		يُلفَظُ ، يُقابَلُ بالرفضِ، لا تُرجى صداقتُه أو معرفتُه
get the (bird / goose)		يَسمعُ (الممثلون في المسرحِ) **هسهسةَ المتفرجين وصياحَهم** (نظراً لسوءِ العرضِ)
get the chop	*(Br)* *(S)*	**يَفقدُ وظيفتَه** (شخصٌ) <> **يَتوقفُ عن العملِ** (شيءٌ)
get the gate (see "**give** *someone* **the gate**")	*(S)*	يَخسرُ عملَه ، يُفصلُ من وظيفتِه <> يَصيرُ منبوذاً
get the jump on *someone*		يَفوزُ بقصبِ السبقِ عليه ، يَتجاوزُه
get the sack (see "**give the sack**")		يَخسرُ عملَه ، يَفقدُ وظيفتَه

get underway — يَبدأُ رحلةً ، يَشْرَعُ في عملٍ

get up on the wrong side of the bed — يَشعرُ بالسأمِ من أولِ يومِه لسببٍ مجهولٍ

get up *someone's* nose (S) — يُضجِرُه ، يُهيجُه

get up steam — تَزدادُ سرعتُه ، يَكتسبُ قوةَ دفعٍ

ghost writer — كاتبٌ خَفِيٌّ ، كاتبٌ شَبَحٌ ، كاتبٌ مغمورٌ (عادةً يبيعُ أعمالَه الأدبية للكتاب المشهورين لتُنْشَرَ بأسماءِهم)

(gild / paint) the lily — يُبالِغُ أو يُسْرِفُ في الزينةِ

ginger *someone* up — يُحَمِّسُه ، يُثِيرُه

(gird / gird up) *one's* loins — يُشَمِّرُ عن سَاعِديه ، يَستعدُّ بهمّةٍ للعملِ

give a black eye (see "**(get / have) a black eye**") — يَصِمُه بالعارِ ، يُلطِّخُ سمعتَه

give a wide berth to — يَتَجَنَّبُ أو يَتَحاشى بمسافةٍ آمنةٍ

give it (110% / all you've got!) (S) — بذِل أقصى ما في وسعك!

give me five	*(S)*	**دعنا نتصافحُ** (تتصافح اليدان فوق مستوى الرأس بخبطة سريعة خفيفة) **تعبيراً عن الاتفاقِ على أمرٍ أو التهنئةِ على إنجازِ شيءٍ**
give no quarter		**لا يُبدي أيَّ رحمةٍ أو تهاونٍ (مع خصومِه)**
give or take		**تقريباً ، مع احتمالِ زيادةٍ أو نقصٍ طفيفٍ**
give *someone* **a piece of** *one's* **mind**		**يَلومُه أو يُقَرِّعُه بشدةٍ**
give *someone* **a rocket** ***(My teacher gave me a rocket for not returning my homework on time.)***	*(Au) & (Br)*	**يُوبّخُه أو يُؤنّبُه على ما فعلَ**
give *someone* **the cold shoulder**		**يُظْهِرُ عدم الرغبة في معرفتِه أو التودّدِ إليه**
give *someone* **the creeps** (see "**make** *one's* **flesh creep**")		**يَقشعرُّ له بدنُه ، يُنَفِّرُه ، يُرْعِبُه**
give *someone* **the elbow**	*(Br)* *(S)*	**يُنهي علاقتَه الغراميةِ معها**
give *someone* **the gate** (see "**get the gate**")	*(S)*	**يَطردُه من عملِه ، يَفصلُه من وظيفتِه <> يَلفُظُه ، لا يَقْبلُه ، يَنبُذه**
give *someone* **the green light**		**يُعطيه الإذنَ ، يُعطيه إشارةَ الموافقةِ**

give *someone* the shivers		يُرعبُه ، يُصيبُه بالرعبِ
give *someone* the slip		يَزوغُ من ، يَهربُ من
give the air to *someone* (see "**tie the can to *someone***")	*(S)*	يَفصِلُه من وظيفتِه ، يَعزِلُه من منصبِه
give the (ax / brush-off) (see "**get the (ax / brush-off)**") ***(My girlfriend gave me the brush-off.)***		يَلفُظُ ، يَقطعُ علاقتَه ، يُنهي صداقتَه
give the sack (see "**get the sack**")		يَطردُ من العملِ ، يَفصلُ من الوظيفةِ
give up the ghost	*(S)*	يَمُوتُ (شخصٌ) <> يَتَوَقَّفُ عن العملِ (شيءٌ)
glass ceiling		السقفُ الزُجاجيُّ (تستخدم عادةً لوَصف الحاجزِ المِهَنِي الذي يحول بين النساء والأقليات وبين الترقي للمناصب العليا)
glutton for punishment		شخصٌ يَتلذّذُ بتحملِ تبعاتٍ تفوقُ طاقتَه
(go / run) to seed		يَبلغُ مرحلةَ تكوينِ البذورِ (نباتٌ) <> تَتدهورُ ظروفُ المعيشةِ به (مكانٌ)
go all the way	*(S)*	يُواقِعُ جنسياً ، يُمارسُ الجنسَ

go all-out		يَبذلُ قصارى جهدِه ، لا يَألو جهداً
go and boil your head!	*(V)*	اذهبْ في داهيةٍ! (صيغةُ الأمرِ)
go bananas (see "**go bonkers**" & "**pop** *one's* **cork**")	*(S)*	يَجنُ جنونُه (من الغضبِ)
go belt and (braces / suspenders)		لا يتركُ أيَّ شيءٍ للظروفِ ، يأخذُ كلَّ الأمورِ في حُسبانِه
go berserk		يُصْبِحُ مجنوناً ، يَفْقِدُ عَقْلَه
go bonkers (see "**go bananas**" & "**pop** *one's* **cork**")	*(S)*	يَجنُ جنونُه (من الغضبِ)
go bust		يَفشلُ فشلاً ذريعاً ، يُفلِسُ
go by the board		يَتِمُّ التَخَلُّصُ أو الانتهاءُ منه
go by the book		يَلتَزِمُ بالقواعدِ ، يَعملُ بشكلٍ سليمٍ
go easy (on / with) *someone or something*		يَمتثلُ أو يحتَكمُ إلى العقلِ ، يَتصرّفُ بحذرٍ
go (fly a kite! / fry an egg! / pound sand!)	*(V)*	ابتعدْ عني! <> كُفَّ عن مضايقتي! (صيغةُ الأمرِ)

go for a (ride / spin) (S) يَأْخُذُ جَوْلَةً (في سيارةٍ أو على دراجةٍ)

go for broke يُجازفُ بكل ما يَملكُ <> لا يَألو جهداً

go great guns ***(I am sure that our company will go great guns in the near future.)*** يَصيرُ مُوفَّقاً ، يَنجحُ باقتدارٍ

go haywire (see "**on the fritz**") يَخْتَلُّ ، يَجْنَحُ عن مسارِه

go hog wild يَصيرُ فرحاناً ومُستثاراً ، يَطيرُ من الفَرَحِ

go in for *something* يُشارِكُ فيه <> يَهتمُ به

go like a rocket ***(My new Ipad goes like a rocket.)*** (Au) يَسيرُ على ما يُرامُ ، يَعملُ بكفاءةٍ

go off (half-cock / half-cocked) يَنصرفُ على عُجالةٍ ، يُغادرُ بدون تمهلٍ

go off the deep end يَتصرّفُ بشكلٍ هستيريٍ ، يَسلكُ مسلكاً طائشاً

go *someone* **one better** ***(If you speed up to 60 kph, I will go you one better and do 80 kph.)*** يَفُوقُه ، يَتفوّقُ عليه ، يَزيدُ عنه

go out on a limb

يُخاطرُ علانيةً بمخالفةِ أمرٍ مألوفٍ أو شائع

go out with *someone*

تُواعِدُه / يُواعدُها غرامياً

go over like a lead balloon

يَفشلُ فشلاً ذريعاً مُهيناً ، يُفْضَحُ على المَلَأ

go places ***(I know that Tom, with all his talent, will really go places.)***

يُصبحُ ناجحاً جداً ، يَذيعُ صيتُه

go public

يَبيعُ حصةَ أو أسهمَ شركةٍ خاصةٍ للجمهورِ

go public with *something* ***(I will wait until I hear his side of the story before I go public with it.)***

يُعلنُه على الملأِ ، يَنشرُه علانيةً

go scot-free

يُعْفَى من الدفعِ (تستخدم عادةً لوَصف الإعفاءِ من الضرائبِ) <> يُعْفَى من العقوبةِ

go steady with *someone*

يُواعِدُها وَحدَها ، يُواعِدُها ولا يُواعِدُ سواها

go the (distance / full distance)

يَستمرُ في أداءِ العملِ حتى نهايتِه ، لا يَألو جهداً <> يُنهِي السباقَ ، يُكمِلُ المباراةَ

go the extra mile

يَقومُ بأكثرِ مما هو مطلوبٌ منه ، يَبذلُ جهداً إضافياً لإنجازِ العملِ

go the whole hog		**يَفعلُ كلَّ ما في استطاعتِه** (تستخدم عادةً لوَصف الإسرافِ في الملذّاتِ)
go to bat for *someone*	*(Am)*	**يُساعدُه ، يُساندُه**
go to hell in a handbasket		**في طريقه إلى الهلاكِ المُحَقّقِ ، مَيّتٌ لا محالة**
go to *one's* **head** ***(His early fame went to his head.) & (Vodka always goes to his head.)***		**يَلعبُ برأسِه ، يُشوّشُ أفكارَه** (معنى مجازي) <> **يُسْكِرُه ، يُصيبُه بالدوارِ** (معنى حرفي)
go to pot (see "**go to (rack / wrack) and ruin**" & "**go to the dogs**")	*(S)*	**يَصِيرُ إلى خَرابٍ ، يَتدهورُ** (تستخدم عادةً لوَصف شخصٍ يُدمّرُ حياتَه بيديه بتشبيهِه بمدمني الماريجوانا أو من على شاكلتِهم)
go to (rack / wrack) and ruin (see "**go to pot**" & "**go to the dogs**")	*(S)*	**يَصِيرُ إلى خَرابٍ ، يَتدهورُ**
go to the devil!		**اغرب عن وجهي! ، اذهب للجحيم!** (صيغةُ الأمرِ)
go to the dickens!	*(S)*	**اغربْ عن وجهي! اذهبْ للجحيمِ!** (صيغةُ الأمرِ)
go to the dogs (see "**go to pot**" & "**go to (rack / wrack) and ruin**")	*(S)*	**يَصِيرُ إلى خَرابٍ ، يَتدهورُ**
go to the mat		**أخذُ الأمرَ إلى حلبةِ النزالِ**

go to the wall

يَصلُ إلى حدِّ اليأس ، يُصبحُ عاجزاً

go to town

يَعملُ بكفاءةٍ ومهارةٍ <> يَصيرُ ناجحاً <> يَستغرقُ في الملذّاتِ ، يُمارِسُ الجنس

go up in (flames / smoke)

يُتَبَّرُ ، يُدَمَّرُ كلياً

go wild

تَغلبُ عليه الإثارةُ (تصفُ حالةً من الغبطةِ الشديدةِ)

go with *someone or something*

يَختارُ ، يَتَخَيَّرُ (معنى مجازي) <> يَذهبُ مع (معنى حرفي)

go with the flow

يَتَقَبَّلُ ما هو فيه ويَتَأَقْلَمُ عليه

go without saying

يُعْلَمُ بالبداهةِ ، لا يَحتاجُ إثباتاً ، معلومٌ إلى درجة عدم الحاجة إلى ذِكرِه

God forbid

لا سَمحَ الله ، حَاشَى لله

Godspeed

بالتوفيق ، وفّقك الله

gold digger

طماعٌ ، جشعٌ (تستخدم لوَصف شخصٍ لا يُبالي بأيِّ شيءٍ سوى المالِ وعادةً شابةٌ جميلةٌ تتزوج من رجلٍ غنيٍّ طاعنٍ في السن طمعاً في ثروته)

gone (duck / goose)	*(Am)*	**شخصٌ في وضعٍ لا يُحسدُ عليه ، شيءٌ في وضعٍ ميؤوسٍ منه**
gone for a burton	*(Br)*	**مَيتٌ** (شخصٌ) <> **مَعطوبٌ أو لا يَعملُ** (شيءٌ)
gone to Jericho		**ذَهَبَ إلى المجهولِ ، انقطعت أخبارُه**
good (apple / egg)		**إنسانٌ طيبٌ يُعتمدُ عليه**
good riddance to		**حمداً لله على الخلاصِ من**
good Samaritan		**مُحْسِنٌ لوجه الله** (شخصٌ يساعد الآخرين من بابِ الإحسان وبلا انتظارٍ لأي مقابلٍ)
goosebumps		**قشعريرةٌ ، انكماشُ الجلدِ** (من الخوفِ أو البَرْدِ)
goose egg		**صِفْرٌ** (في مباراةٍ رياضيةٍ) <> **بروزٌ في الرأسِ** (نتيجةُ كدمةٍ)
grand slam		**الفوزُ في جميعِ المسابقاتِ في لُعبةٍ أو رياضةٍ في نفسِ العام** (تُسْتَخْدَمُ عادةً في رياضة الجولف والتنس)
granny dumping	*(Am)* *(S)*	**تَخَلّي الأهلِ عن أقربائهم المُسِنين** (هرباً من مسؤوليةِ العنايةِ بهم)

grasp the nettle			يُواجهُ مشكلةً صعبةً بشجاعةٍ
grass *someone* **up**	*(Br)*	*(S)*	يُرْشِدُ عنه الشُرطةَ ، يُبْلِغُ عنه
grass widow			امرأةٌ منفصلةٌ عن زوجِها أو مُطلقةٌ ، امرأةٌ غابَ عنها زوجُها
graveyard shift		*(S)*	نَوْبَةُ آخر الليلِ ، الوَرديةُ الليليةُ (تمتدُ من ساعات الليلِ الأخيرة للساعاتِ الأولى من الصباحِ)
grease *someone's* **palm**		*(S)*	يُغدقُ على شخصٍ بالمالِ طمعاً في مصلحةٍ أو خدمةٍ
greasy luck!	*(Am)*	*(S)*	حظٌ سعيدٌ!
Gridlock			اختناقٌ مروريٌ <> عَجْزٌ تامٌ (عن إحرازِ أي تقدمٍ في عملٍ أو مُباحثاتٍ)
grin and bear it			يَرضى بما قُسِمَ له ويَضحكُ منه ، يتقبَّلُ قِسمتهُ بروحٍ مرحة
grin like a Cheshire cat	*(Br)*		يَبتسمُ ابتسامةً عريضةً
grind down *someone*			يَظلمُه <> يُلاحقُه أو يُلحُّ عليه بالسؤالِ حتى يَنالَ ما يُريدُه

grind into *something* — يَتعلّمه بمشقةٍ بالغةٍ

grind *something* **out** — يَكتبُه أو يَنْظِمُه بطريقةٍ آليةٍ

grind to a halt — يَتوقّفُ ببطءٍ وجَلَبَةٍ

grist to the mill — مَصدرُ رِبحٍ أو منفعةٍ

grow on *someone* ***(I don't care much for country music. But perhaps it will grow on me with time.)*** — يَحلو مع الوقتِ في ناظرَيه ، يَتمكنُ منه

grow out of *something* — يَنْجُمُ عن ، يَنشأُ من <> يصبِحُ كبيراً عليه

guinea pig — فأرُ تجاربَ

gun moll (A common term in the 1920's and 1930's) *(Am)* *(S)* — امرأةٌ تُرافقُ زعيمَ عصابةٍ لشهرتِه ونفوذِه (شاعَ هذا المصطلح في عشرينات وثلاثينات القرن العشرين)

gung ho **(see "with bells on") (Chinese)** — شديدُ التحمسِ ، مُتَلَهِّفٌ لحدٍّ كبيرٍ

gussied up *(Am)* *(S)* — مُبَهرَجٌ أو مُتَزَينٌ بشكلٍ مُبالغٍ فيه

gut it out *(S)* يَصبرُ على الشِدَّةِ ، لا يَهوُنُ

gutter language لغةٌ وضيعةٌ ، كلامٌ فاحشٌ بذيءٌ

H

<u>hair and hide</u> (see "<u>horns and tallow</u>")		**كلُّ شيءٍ ، جميعُ الأجزاءِ ، الأمرُ برُمّتِه**
<u>hair of the dog that bit me</u>		**و داوني بالتي كانت هي الداءُ ، شُربُ قدرٍ ضئيلٍ من الخمرِ لمعالجةِ الخُمارِ أو السُّكْرِ المعلَّقِ**
<u>Halcyon days</u>	*(Br)*	**أيامُ الشبابِ** (تستخدم عادةً لوَصف راحةِ البال وعدم الانشغال بالهموم في أيام الشباب)
<u>hale and hearty</u> ***(Despite his age, he is still hale and hearty.)***		**في صحةٍ جيدةٍ ، على ما يُرامُ**
<u>half-hearted</u> (see "<u>whole-hearted</u>")		**لم يَحْسِمْ أمرَهُ بعد <> فاترُ الهمّةِ ، مُفتقرٌ للحَماسةِ**
<u>half-seas over</u> (see "<u>loaded to the barrel</u>" & "<u>loaded to the gills</u>")	*(S)*	**سَكرانٌ أو ثَمِلٌ أو مَخمورٌ تماماً**
<u>ham actor</u>		**شخصٌ يَتظاهرُ بما ليسَ فيه بمبالغةٍ واضحةٍ** (معنى مجازي) <> **مُمَثِّلٌ غيرُ بارعٍ ، مُمَثِّلٌ مبتدئٌ وغيرُ مُتمكِّنٍ** (معنى حرفي)
<u>hammer and tongs</u>		**بمنتهى النشاطِ ، بقوةٍ**

English		Arabic
hand in glove		متحابان تماماً ، لا يَفترقان
hand over fist		في تصاعدٍ ، في وتيرةٍ متسارعةٍ <> بنجاحٍ ملحوظٍ
hands down (see "**in a breeze**")		بلا سؤالٍ <> بدون مشاكلٍ ، بسهولةٍ بالغةٍ
hang a few on (see "**hoist a few**")	*(S)*	يَتناولُ بضعةَ مشروباتٍ كحوليةٍ (عادةً بيرةً أوجِعَةً)
hang by a thread		في وضعٍ محفوفٍ بالمخاطرِ ، مُقَلْقَلٌ
hang loose	*(S)*	يُحافظُ على رباطةِ جأشهِ ، لايَفقدُ أعصابَه
hang on by the eyelashes ***(Tim is hanging on by the eyelashes in keeping his new business financially afloat in this economy.)***		يَنجحُ بالكادِ في المحافظةِ على وضعٍ
hanky-panky	*(S)*	خُدْعَةٌ ، مَقْلَبٌ <> جماعٌ أو وصالٌ جنسيٌّ
happy talk		لغوٌ ، حَشوُ كلامٍ
harbinger of doom		نَذيرُ شُؤمٍ أو سوءٍ

<u>(hard / long / tough) row to hoe</u>		مُهمّةٌ عسيرةٌ يَصعُبُ القيامُ بها ، أمرٌ شاقٌّ يَتعذّرُ إنجازُه
<u>hard and fast</u>		مُلْتَزِمٌ بشيءٍ <> بلا شَكٍ ، بدون جدالٍ
<u>hard cheese</u>	*(S)*	حظٌ سيئٌ (تُقالُ لإبداء الشماتة)
<u>hard up</u>	*(S)*	مَعُوزٌ ، في ضنكٍ ، في عَوزة
<u>hard-hearted</u>		قاسٍ ، لا يَرْحَمُ
<u>harp on (one / the same) string</u> (see "<u>bang on about</u>")		يَضربُ على نفسِ الوترِ ، يُعيدُ ويُزيدُ ، يُكرّرُ نفسَه
<u>hash house</u>	*(S)*	مطعمٌ صغيرٌ رخيصُ الأسعارِ ، خَانٌ
<u>hat trick</u>		مراوغةٌ أو لعبةٌ ماهرةٌ ، إنجازٌ من ثلاثِ نقاطٍ
<u>hate *one's* guts</u>	*(S)*	يَمقتُه بشدةٍ ، لا يُطيقه
<u>have (a few / a lot of / many / too many) irons in the fire</u>		يَضطلعُ بأعمالٍ تفوقُ طاقتَه ، يَنشغلُ بأكثرِ من عملٍ في نفسِ الوقتِ <> لديه خططٌ بديلةٌ في حالِ فشلِ خطّتِه الحاليةِ

<u>have a bun in the oven</u>	*(S)*	**يكونُ حاملاً أو حُبلى**
<u>have a cow</u>	*(S)*	**يَفغرُ فاه من الدهشةِ <> يَحنقُ**
<u>have a dog in the fight</u>		**له باعٌ في الأمرِ ، يَخُصُّه ، يُعْنِيه**
<u>have (a few / one) too many</u>	*(S)*	**يَسْكَرُ ، يَثْمَلُ** (من كثرةِ شربِ الخمرِ)
<u>have a good mind to do *something*</u>		**يَتُوقُ لعملِه ، يَصبو إلى القيامِ به**
<u>have a hollow leg</u> ***(John has a hollow leg. He can drink a whole pack of beer and still walk a straight line.)***	*(S)*	**يُفرطُ في الشراب** (كحوليات) **دون أن يَثمل ، يَشربُ المُحيط**
<u>have a one-track mind</u>		**يكونُ ضيقَ الأفقِ <> يَكونُ مُلمّاً بموضوعٍ واحدٍ فقط**
<u>have a pull in *something*</u> ***(He has a lot of pull in the legal circles.)***		**يَصيرُ له تأثيرٌ عليه أو نفوذٌ فيه** (شيءٌ)
<u>have a pull with *someone*</u> ***(He has a lot of pull with his boss.)***		**يَصيرُ له تأثيرٌ عليه أو نفوذٌ فيه** (شخصٌ)
<u>have a rare old time</u>		**يَتمتّعُ بوقتِه كلَّ المتعةِ**

have a roving eye		يَكونُ مِغناجاً أو لَعُوباً ، تَكونُ عَينُه زائغة
have a scrape with *someone*		يَحتكُ به ، يَتشاجرُ معه
have a screw loose		يَتصرّفُ بشكلٍ سمجٍ أو سخيفٍ ، يَختلُ عقلُه
have an ax to grind		لديه مطلبٌ أوغَرَضٌ في نفسِه ، حاجةٌ في نَفسِ يَعقوبَ
have an eye for *something*		له قدرةٌ متميزةٌ على فهمِه أو سبرِ أغوارِه
have an inkling about *something*		تَكونُ لديه فكرةٌ مُبْهَمَةٌ عنه، يَعلمُ القليلَ عنه
have another throw at *something*	*(S)*	يُحاولُه مرةً أخرى
have ants in *one's* **pants**	*(S)*	لا يَطيقُ صبراً أن يَتحدثَ بشيءٍ أو يَقومَ بعملِ شيءٍ (لشدّة الحماس أو لشدّة القلق)
have bats in *one's* **belfry**		يَكونُ غريبَ الأطوارِ ، يَحملُ أفكاراً غيرَ معقولةٍ
have eyes for *someone or something*		يَكونُ مُهتماً به ، يَرغبُ فيه

have eyes in the back of *one's* head		يَكونُ شديدَ الحذرِ ، يُؤمِّنُ نفسَه من غدرِ الغادرين
have it both ways ***(You want to have a high-paying job and to work only a few hours per week. You cannot have it both ways.)***		يَحصلُ على كلِّ ما يُريدُه (من جهتين متضادتين أو من نقيضين لا يجتمعان)
have it in for *someone* ***(I was fired. My manager had it for me after he saw me smoking in the locker room.)***		يُبَيِّتُ له ، يَنْوِي أذيته (بسبب ضغينة)
have it out ***(John made his case and did not give his opponent any chance in court. He simply had it out.)***		يَحْسِمُ جِدالاً ، يُسَوِّي خِلافاً
have money to burn (see "**throw money around**")		يُنفقُ انفاقَ من لا يَخشى الفقرَ ، يُنفقُ بلا حسابٍ ، مُسرف
have no truck with	*(S)*	يَرفضُ أن تَكونَ له أي علاقةٍ بـ
have *one's* ass in a sling	*(V)*	يَكْتَئِبُ ، يَغْتَمُّ ، يَمُطُّ شفتيه استياءً
have *one's* guts for garters	*(S)*	يَغضبُ منه جداً ، سينهشُ كبدَه
have *one's* heart in *one's* shoes		يَكادُ يَموتُ من الخوفِ ، مرعوبٌ جداً

English		Arabic
have *one's* **heart in the right place**		نِيَّتُه خالصةٌ ، سليمُ الطَوِيَّةِ
have *one's* **work cut out for** *one*		يَلقى مشقةً ، يُواجهُ صعوبةً
have *someone* **on** ***(This is your wedding ring? You are having me on!) & (I will have my in-laws on next weekend.)***	*(Br)*	يَدفعُه لتصديق أمرٍ غيرِ حقيقي (عادةً من باب الدعابة) <> يَستضيفُه ، يُضَيِّفُهُ
have *something* **on** *one's* **mind**		يُفكرُ ملياً بأمرٍ يَشغلُ بالَه
have *something* **on the brain**		يَنتابُه أو يَستغرقُه هاجسٌ
have sticky fingers		مُعتادُ السرقةِ ، يَفتقدُ الأمانةَ الماليةَ
have the goods on *someone* **(see "catch** *someone* **red-handed")**	*(S)*	يَضبطُه متلبّساً ، يَضبطُه أثناءَ ارتكابِه للجُرْمِ
have the nerve to do *something*		يَتجرأُ على فعلِ شيءٍ ، يَكونُ وقحاً لدرجةِ أن يَفعلَ شيئاً
have two left feet		يَكونُ أخرقاً أو غيرَ بارعٍ ، يَكونُ مبتدِئاً
have two strings to *one's* **bow**		جاهزٌ أو مستعدٌ بخطةٍ بديلةٍ عند اللزومِ

<u>head over heels</u> ***(He is head over heels in love.) & (He is head over heels in debt.)***		**مُتَيَّمٌ ، في شدةِ الغرامِ <> فَقَدَ اتزانه ، عاجزٌ عن التصرفِ**
<u>heads up</u>		**تحذيرٌ أو إنذارٌ مُسَبَّقٌ**
<u>hear *someone* out</u>		**يُنصتُ لما يَقولُه ، يَستمعُ إلى كل ما لديه من قولٍ بعقلٍ مفتوحٍ**
<u>hear *something* (over / through) the grapevine</u>		**يَسمعُ عنه بشكلٍ غيرِ مباشرٍ ، يَعلمُ به من مصدرٍ سريٍّ**
<u>hedge *one's* bets</u>		**يَترُكُ البابَ مفتوحاً للتراجعِ ، لا يَلتزمُ التزاماً كاملاً**
<u>heebie jeebies</u>	*(S)*	**شعورٌ بالتوجسِ أو بالقلقِ أو بالكآبة**
<u>hell for leather</u>	*(Br)*	**يَنطلقُ بأقصى سرعةٍ ولا يبالي**
<u>hell on wheels</u> (See "<u>wild and woolly</u>")		**شَرِسٌ ، شديدُ القسوةِ** (تستخدم عادةً لوصفِ شخصٍ في بلدٍ أو مكانٍ يَسودُه قانونُ الغابِ)
<u>helter-skelter</u>	*(S)*	**بِعُجَالةٍ وبلا نظامٍ**
<u>hem and haw</u>		**يَتنحنحُ ويَتلعثمُ في حديثِه ، يُراوغُ ويَتملّصُ في كلامِه**

English		Arabic
hen (night / party) (see "**bucks (night / party)**" & "**stag (night / party)**")		آخرُ حفلةٍ للعروسةِ مع صديقاتها قبل أن تتزوجَ
hide *one's* **light under a bushel**		يُداري على شمعتِه ، لا يُظْهِرُ موهبتَه أو نجاحَه
higgledy-piggledy	*(Br)* *(S)*	مضطربٌ ، في حالةٍ من الالتباسِ
high and dry (see "**left in the lurch**")		جانحٌ ومعزولٌ بلا أملٍ في النجاةِ
high and mighty (see "**(ride the / on** *one's*) **high horse**")		شامخٌ ومُتعالٍ (عادةً تُطلقُ تهكماً على شخصٍ شديدُ الغرور بنفسه)
high jinks		لهوٌ وصَخَبٌ
high man on the totem pole (see "**low man on the totem pole**")		شخصٌ (قد يكونُ رجلاً أو امرأةً) في قمةِ المسؤوليةِ ، رئيسُ المنظمةِ
high on the hog		في بَذَخٍ ورفاهيةٍ
high time (see "**crunch time**") ***(It's getting late. It's high time to go home and study for tomorrow's exam.)***		وقتُ الاستحقاقِ ، وقتُ الحسمِ (الوقتُ الذي يَحينُ فيه القيامُ بعملٍ ما)
high-flyer & high-flier		شخصٌ شَقَّ طريقَه للنجاحِ في زمنٍ قصيرٍ <> سَهْمٌ ارتفعت قيمةُ تداولِه في سوقِ المالِ في زمنٍ قياسيٍ

hissy fit	*(S)*	**جَيَشانٌ عاطفيّ ، ثَوْرَةُ غَضَبٍ**
(hit / reach) *one's* **stride**		**يَبلغُ أَوْجَه <> يُؤدي عملاً بمنتهى التمكّنِ**
(hit / touch) a raw nerve		**يُغضِبُ شخصاً بالحديثِ عن موضوعٍ حساسٍ بعينِه**
hit the bottle (see "**wet** *one's* **whistle**")	*(S)*	**يَتعاطى مشروباً** (خَمْرٌ)
hit the ground running (see "**get off on the wrong foot**")		**يَبدأُ بدايةً ناجحةً ، يَشرعُ في عملٍ بنشاطٍ وهِمَّةٍ**
hit the (hay / sack / sheets)		**يَأوي للفراشِ**
hit the nail on the head		**يَكونُ صحيحاً تماماً ، يُصيبُ عينَ الحقيقةِ**
hit the road		**يَنطلقُ في طريقِه ، يشرَعُ بالذّهاب**
hobby horse		**الموضوعُ المُفضلُ للحديث** (تستخدم عادةً لوَصف هوسِ شخصٍ بالحديثِ عن موضوعٍ بعينهِ مهما كانت المقدّمات)
Hobson's choice	*(Br)*	**التخييرُ بين ما هو متاحٌ أو لا شيءَ على الإطلاقِ**

hocus-pocus	*(S)*	**خُدْعَةٌ ، سِحْرٌ ، خزعبلات أو ترّهات**
hoe *one's* **own row** (see "**(hoist / lift / pull up)** *oneself* **by** *one's* **bootstraps**" & "**paddle** *one's* **own canoe**")		**يَعتمدُ على نفسِه ، يَأخذُ مصيرَه بين يديه**
hoi polloi (Latin) (see "**the great unwashed**")		**الطبقةُ العامّيةُ ، العَوَامُ ، عَوَامُ الناسِ**
(hoist / lift / pull up) *oneself* **by** *one's* **bootstraps** (see "**hoe** *one's* **own row**" & "**paddle** *one's* **own canoe**")		**يَعتمدُ على نفسِه ، يَأخذُ مصيرَه بين يديه**
hoist a few (see "**hang a few on**")	*(S)*	**يَتناولُ بضعةَ مشروباتٍ كحوليةٍ** (عادةً بيرة أو جِعَة)
hoity-toity	*(S)*	**متفاخرٌ أو مزهوٌ بذاتِه بلا داعٍ**
hold all the aces		**بيدِه كلُّ مقاليدِ الأمورِ ، بيدِه كلُّ نواصي الأمورِ**
hold at bay		**يَصْمُدُ ، لا يَتزحزحُ**
hold *one's* **end up**		**يُؤدي المفروضَ عليه ، يُوفِّي الجزءَ المنوطَ به في اتفاقيةٍ**
hold *one's* **head high**		**يَعتدُّ بذاتِه ، يَحترمُ نفسَه ، يَظلُّ مرفوعَ الرأسِ**

hold *one's* **horses** ***(Hold your horses! I'm not ready yet.)***	لا يَتَعَجَّلُ في فعلِ شيءٍ ، يَتَرَوّى قبلَ أن يُقدِمَ على عملٍ
hold *one's* **nose**	يَكظُمُ غيظَه ، يَكبحُ مشاعرَه
hold *one's* **own**	يُحسِنُ الأداءَ في موقفٍ صعبٍ ، يَتمالكُ زمام أموره
hold *one's* **(peace / tongue)**	يَلتزمُ الصمتَ ، لا يَتكلّمُ، لاَ يَنْبِسُ بِبِنْتِ شَفَةٍ
hold *oneself* **together**	يُحافظُ على هدوءِه ، يَحتفظُ برَباطةِ جأشِه
hold *someone's* **feet to the fire**	يَضغطُ عليه ليُرغمَه على قبولِ أمرٍ
hold *something* **out on** *someone*	يَحجُبُه عنه ، لا يَبوحُ به إليه
hold sway	تَكونُ له السيادةُ ، يَكونُ بيدِه الأمرُ
hold the floor (see "**take the floor**") ***(Tom is a great speaker. He can hold the floor for hours without boring his audience.)***	يَأخذُ ألبابَ سامعيه ، يَستحوذُ على جُلِّ انتباههم
hold the fort	يَتولى زمامَ المسؤوليةِ (عادةً نيابةً عن شخصٍ أثناءَ غيابِه)

<u>hold the line</u> ***(Because of the budget deficit, we had to hold the line on salary increases.)*** — **يُحافظُ على الوضعِ الراهنِ بلا تغييرٍ**

<u>honest to God</u> — **صَدِّقني ، بالله ، والله ، تالله**

<u>hop to it!</u> — **هَلُمَّ إليه!** (عملٌ أو واجبٌ)

<u>hopping mad</u> — **يَجُنُّ جنونُه من الغضبِ، يشتط غيظاً**

<u>horns and tallow</u> **(see "<u>hair and hide</u>")** — **كلُّ شيءٍ ، جميعُ الأجزاءِ ، الأمرُ برمتِه**

<u>horse feathers</u> **(see "<u>mumbo-jumbo</u>")** *(Br)* *(S)* — **هُراءٌ ، كلامٌ فارغٌ**

<u>horse of (a different / another) color</u> — **شيءٌ مختلفٌ برمتِه ، أمرٌ مختلفٌ كليةً**

<u>hot air</u> — **كلامٌ غيرُ جَدّيٍ ، هُراءٌ لا جدوى منه**

<u>hot off the press</u> — **تَمَّ طَبْعُهُ للتو ، طَازِجٌ** (تستخدم عادةً لوَصف خبرٍ أو حدثٍ)

<u>hot on the heels of</u> <u>*someone or something*</u> — **يَتَعَقَّبُه عن قُرْبٍ ، يَطْلُبُه حَثيثاً**

English			Arabic
hot pants ***(Yes, he has hot pants for her.)***		*(V)*	**شَبَقٌ ، رغبةٌ جنسيةٌ جامحةٌ**
hot under the collar			**مرتبكٌ ، غضبانٌ**
hot-blooded (see "**cold-blooded**")			**سريعُ الاهتياجِ ، عاطِفيُ المزاجِ** (معنى مجازي) <> **ذو دمٍ حارٍ** (كالثدييات - معنى حرفي)
hot-to-trot		*(S)*	**مُثيرٌ جنسياً** (تستخدم عادةً لوَصف الملابسِ أو الزينةَ) <> **مُستثارٌ جنسياً** (شخصٌ)
hue and cry			**صرخةُ استنجادٍ** (على سبيل المثال "إمسك حرامي") ، صيحةُ غضبٍ
hugger-mugger	*(Br)*	*(S)*	**بسريةٍ ، بشكلٍ سريٍ**
hunky-dory		*(S)*	**حَسَنٌ ، مُرْضٍ**
hunt and peck (computer)			**يَدُقُّ بأصابعِه مع النَّظرِ على لوحةِ المفاتيحِ حرفاً بحرفٍ** (مصطلحٌ خاصٌ بالحاسوبِ)
hurrah's nest			**فوضى عارمةٌ ، ارتباكٌ شديدٌ**

I

English		Arabic
I have to wash a few things out		لَديَّ مَشاغلٌ عديدةٌ ، هناك أشياءٌ ضروريةٌ يَنبغي عليَّ عملُها (تمنعُني من قضاءِ وقتٍ معك - معنى مجازي) <> يَنبغي أن أغسلَ بضعةَ أشياءٍ (معنى حرفي)
icing on the cake		تجميلٌ ، تحسينُ المظهرِ
identity theft		انتحالُ شخصيةِ الغيرِ (سرقةُ البيانات الشخصية لشخصٍ آخر واستخدامُها للمنفعةِ)
(if / when) push comes to shove (see "when it comes to the crunch")		إذا حَمَّ القضاءُ ، حالَ وقوعِ مكروهٍ
if I had my druthers	*(Am)* *(S)*	لو كانَ لِيَ أن اختارَ
I'll swing for you	*(S)*	سأقتلكَ ولا يهمني إن كنتُ سأُشنقُ جزاءَ ذلك <> سأضربُك (لكماً بقبضةِ اليدِ)
ill wind		أثَرٌ سلبيٌ ، تأثيرٌ معاكسٌ
(in / on) the cards		مُتَوقَّعٌ ، على وشكِ الوقوعِ

in a blue funk — في رُعبٍ أو هلعٍ شديدٍ

in a breeze (see "**hands down**") — بلا سؤالٍ <> بدون مشاكلٍ ، بسهولةٍ بالغةٍ

in a cleft stick — في مشكلةٍ شديدةِ الصعوبة ، في مأزقٍ يستعصي الخروجُ منه

in a hole — في مأزقٍ ، واقعٌ في ورطةٍ <> مُعْسَرٌ ، مَديونٌ

in a nutshell — بإيجازٍ ، بالمُخْتَصَرِ

in a (pickle / pretty pickle) *(S)* — واقعٌ في مشكلةٍ

in a pig's eye ***(Do you really think that I will be traveling in this weather? In a pig's eye I will.)*** **(see "make a pig's ear of")** *(S)* — غيرُ صحيحٍ على الإطلاقِ ، لن يَحدُثَ أبداً

in a trice (see "**in the twinkling of an eye**") — في لمحِ البصرِ

in apple pie order — مُنَظَّمٌ ، مُرَتَّبٌ

in black and white — بشكلٍ رسميٍ ، مكتوبٌ على الورق (بعكس ما هو شفهي)

in cahoots with *someone*		**يَعملُ بالتنسيقِ معه ، متآمرٌ معه**
in cold blood		**بتعمُّدٍ وبلا أدنى مشاعرٍ، بدمٍ بارد، دون أن يَهتز له طرف**
in hot water		**في مُشكلةٍ ، واقعٌ في ورطةٍ**
in like Flynn	*(Am)*	**مَحظوظٌ جداً ، ذو حظٍ عظيمٍ** (تستخدم عادةً لوَصف إما شخصٍ يجني ربحاً أو شهرةً في زمنٍ قياسيّ أو شخصٍ محظوظٍ في علاقاته مع النساء)
in limbo		**على الحدود ، ليسَ هنا ولا هناك**
in one ear and (out / out of) the other		**يَسمعُ بلا إصغاءٍ ، لا يُعيرُ اهتماماً لما يُقالُ ، لا آذان صاغية**
in one fell swoop		**في خُطوةٍ واحدةٍ <> بهجمةٍ واحدةٍ**
in *one's* element		**على هواه ، منسجمٌ مع طباعِه**
in *one's* mind's eye		**في تخيُّله ، في تصوُّرِه**
in *one's* right mind		**في حكمِ أي شخصٍ متزنُ التفكيرِ ، في تقديرِ أي شخصٍ عاقلٍ**

in point of		فيما يَتعلقُ بـ ، نظراً إلى
in seventh heaven		في سعادةٍ لا تُوصفُ ، في نعمةٍ لا تُبارَى
in *someone's* **bad books** (see "**in the doghouse**")	(S)	يُلاحِقُه (الخزيُ / العارُ) <> لم تعُدْ له مَكْرَمَةٌ
in *someone's* **book**		في رأيِه ، في تقديرِه
in *someone's* **good graces**		على ما يُرامُ معه
in *someone's* **shoes**		في نفسِ موقِفِه
in spades		مُتوافرٌ ، جَمٌّ
in stitches		يَضحكُ ملءَ فمِه ، يَغرقُ في الضَحِكِ
in the air		يُعَبِّقُ المكان ، محسوسٌ ، ملموسٌ
in the bag		مضمونٌ ، في الحِفظِ والصَونِ
in the buff (see "**stripped to the buff**")	(S)	عُرْيَانٌ

in the cart			**واقعٌ في مشكلةٍ**
in the catbird seat			**في موضِعٍ أفضلٍ ، في موقعٍ متميزٍ**
in the clink (see "**in the jug**")		*(S)*	**في السجنِ ، مسجونٌ**
in the club (see "**in the family way**")		*(S)*	**حاملٌ ، حُبلَى**
in the dark			**بدونِ علمٍ بما يَجري، غافلٌ**
in the doghouse (see "**in *someone's* bad books**")			**مَغضوبٌ عليه ، مُعاقَبٌ** (تستخدم عادةً لوَصف رجلٍ غضبت منه امرأته لفعلٍ شائنٍ ارتكبه)
in the doldrums (see "**down in the dumps**")		*(S)*	**مُحْبَطٌ ، معنوياتُه متدنيةٌ ، تَعيسٌ**
in the family way (see "**in the club**")		*(S)*	**حاملٌ ، حُبلَى**
in the groove	*(Am)*	*(S)*	**مُتماشٍ مع آخرِ صَرْعةٍ ، في أحسنِ حالٍ**
in the heat of the moment			**في اللحظةِ الحاسمةِ**
in the hot seat			**في موقفٍ صعبٍ ، يَلومُه الناسُ** (عادةً لشيءٍ فعلَه أو قالَه)

in the jug (see "**in the clink**")	*(S)*	في السجنِ ، مسجونٌ
in the limelight		في دائرةِ الضوءِ ، في بؤرةِ الاهتمامِ
in the matter of		فيما يَتعلقُ بـ ، بخصوصِ
in the money	*(S)*	غنيٌ ، ثريٌ <> رابحٌ ، كاسبٌ (في سباقٍ أو رهانٍ)
in the nick of time (see "**on the nose**")		في وقتِه بالضبط <> في الوقتِ المناسب
in the offing		آن أوانُه ، على وشكِ الوقوعِ
in the pink (financial)		على ما يرامُ ، بصحةٍ ممتازةٍ <> في وضعٍ متميزٍ بسوقِ المالِ (استثمار)
in the poorhouse		فقيرٌ (معنى مجازي) <> في الأحياءِ الفقيرةِ (معنى حرفي)
in the public eye		شائعٌ ، ذائعٌ ، مشهورٌ
in the red		مَدِينٌ ، مَدْيونٌ
in the same boat		في نفسِ الموقفِ ، في ذاتِ الوضعِ

in the sticks	*(Br)*	*(S)*	**في المناطقِ الريفيةِ ، في الريفِ**
in the twinkling of an eye (see "**in a trice**")			**في لمحِ البصرِ**
in the wind (see "**the (handwriting / writing) on the wall**")			**وشيكٌ ، مُحْدَقٌ ، على وَشَكِ الوقوعِ**
in the works			**تحتُ التجهيزِ ، في مرحلةِ الإعدادِ**
in too deep			**يَنزلقُ في أمرٍ معقدٍ لا فكاكَ منه**
in working order			**يَعملُ بشكلٍ صحيحٍ ، صالحٌ للعملِ**
in your face			**على رَغْمِ أنفك ، ويَرْغَمُ أنفُك**
Indian giver		*(S)*	**شخصٌ يعطي هديةً ويطالبُ بها فيما بعدُ**
Indian summer			**صيفٌ جافٌ شديدُ الحرارةِ**
infra dig (see "**infra dignitatem**" (Latin))			**لا يَلِيقُ بي ، دُونَ قَدْرِي**
infra dignitatem (Latin) (see "**infra dig**")			**لا يَلِيقُ بي ، دُونَ قَدْرِي**

<u>inner city</u> — الأحياءُ الشعبيةُ (تتميزُ بِقِدَمِهَا وتكدُّسِها)

<u>ins and outs</u> — التفاصيلُ الدقيقةُ

<u>inside out</u> — ظَهراً لبَطْنٍ ، بالمقلوبِ

<u>into the blue</u> ***(He spontaneously ventured into the blue.)*** — إلى المجهولِ

<u>it's all Greek to me</u> *(S)* — كلامٌ عسيرٌ أو صعبُ الفهمِ <> أمرٌ يَستعصي على تفكيري

<u>it's no skin off *one's* nose</u> ***(John is not paying any attention to our conversation. It's no skin off his nose.)*** — يُهمُه ، يُعنيه

<u>it's your call</u> — القولُ قولُك ، إفعل ما تشاءُ

<u>(Italian / Spaghetti) Western</u> — فيلمٌ عن الغربِ الأمريكي لمخرجٍ إيطالي

<u>itchy feet</u> — ذو رغبةٍ جامحةٍ في السفرِ أو الترحالِ (معنى مجازي) <> ذو حَكَّةٍ في قدميه (معنى حرفي)

<u>itchy palm</u> — طَامعٌ في المالِ ، جَشِعٌ <> مُنتظِرٌ للرشوةِ

ivory tower برجٌ عاجيّ ، عزلةٌ كاملةٌ اختياريةٌ عن العالمِ الخارجيِّ

J

jack tar	*(Br)*	*(S)*	**بَحَّارٌ**
jack the lad (see "**young turk**")	*(Br)*	*(S)*	**شابٌ متمرّدٌ في عنفوانِه**
jailbird			**سجينٌ** (تستخدم عادةً لوَصف شخصٍ معتاد الإجرامِ وتردَّدَ على السجنِ العديدَ من المراتِ)
jam tomorrow (see "**pie in the sky**")		*(S)*	**الوعد بخير لاحق لن يتحقق ، في المشمشِ**
jerry-build			**يَبني بناءً رخيصاً رَثّاً ، يَبني بشكلٍ مؤقتٍ ، يُشَيِّدُ بشكلٍ غيرِ واقعيٍّ**
jobs for the boys		*(S)*	**محاباةُ الأهلِ والأصدقاءِ بالمزايا والوظائفِ ، محسوبيةٌ**
John Hancock ***(Please put your John Hancock on the check before you mail it.)***	*(Am)*	*(S)*	**تَوقيعٌ ، تَمهيرٌ** (جون هانكوك هو سياسي أمريكي مخضرم وأول من وقع على إعلان استقلال الولايات المتحدة)
Johnny on the spot		*(S)*	**شخصٌ جاهزٌ تحتَ الطلبِ ، شخصٌ مستعدٌ بمجردِ الأمرِ**
join the colors	*(Br)*		**يَتطوعُ بالجيشِ ، يَنخرطُ بالجُنديةِ**

joined at the hip	**ملتصقان ، لا يُمكن فصلُهما** (تعبير مجازي)
jot or tittle *(S)*	**مقدارٌ صغيرٌ ، شيءٌ لا يُعْتَدُّ به**
jump bail	**يُخِلُّ بالتزاماتِ الكفالةِ ، يَتهربُ من دفعِ الكفالةِ**
jump down *someone's* throat	**يُخْرِسُهُ أو يُسْكِتُهُ بصوتٍ عنيفٍ غاضبٍ**
jump in	**يَنزلقُ إلى أمرٍ بسرعةٍ ، يُدلي بدلوِه في حوارٍ بدونِ تأنٍّ** (معنى مجازي) <> **يَقفزُ إلى أو على** (معنى حرفي)
jump on the bandwagon	**يَلْحَقُ بالرَكْبِ** (عادةً بعد أن أصبح الأمر ناجحاً أو مضموناً)
jump out of the frying pan into the fire	**يَستجيرُ من الرمضاءِ بالنارِ**
jump ship	**يَفرُّ من موقعِه عند اشتدادِ الأزمةِ**
jump the gun	**يَشْرَعُ بالعملِ قبل الانتهاءِ من التحضيرِ له**
jump the (line *(Am)* / queue *(Br)*)	**يَتخطى دورَه في الطابورِ** (في محلٍ تجاريٍ أو مكتبٍ حكوميٍّ)

<u>jumping-off (place / point)</u> ***(San Francisco is a great jumping-off (place / point) for visiting the entire California coast.)***

مكانٌ بعيدٌ منعزلٌ <> نُقطةُ انطلاقٍ لما وراءَها (تستخدم عادةً لوَصف مكانٍ وقد تَأخذُ معنىً مجازياً حينَ تَصفُ نقطةً في حوارٍ أو نقاشٍ)

<u>just deserts</u>

مكافأةٌ عما تَمَّ عملُه ، جائزةٌ مستحَقَّةٌ (قد تكون حسنةً أو سيئةً فالجزاء من جنسِ العملِ)

K

kangaroo court	*(Am)*	محكمةٌ شَعْبيَةٌ ، محكمةٌ لا تُتَّبَعُ فيها القوانينُ الرسميةُ
(keep / take) *one's* **mind off**		يَصْرِفُ ذهنَه عن ، يَشغلُ تفكيرَه عن
keep a stiff upper lip		يُحافِظُ على رباطَةِ جَأشِه ، يَتَماسَكُ ولا يُبدي أيَّ انفعالٍ (عادةً في المِحَن والمآسي)
keep an eye on *someone*		لا يَدعُه يَغيبُ عن ناظرَيه
keep an eye out for		يَكُونُ يقظاً في البحثِ عن (شخصٍ أو شيءٍ)
keep *one's* **head**		يُحافظُ على هدوءِ أعصابِه
keep *one's* **(chin / pecker) up**		يُحافِظُ على تفاؤلِه في وجهِ الأزماتِ
keep *one's* **eye on the ball** (see "**keep** *one's* **eyes (peeled / skinned)**")		يَكونُ على أهبةِ الاستعدادِ ، يَكونُ شديدَ اليَقظةِ
keep *one's* **eyes (peeled / skinned)** (see "**keep** *one's* **eye on the ball**")		يَكونُ على أهبةِ الاستعدادِ ، يَكونُ شديدَ اليَقظةِ

keep *one's* fingers crossed (see "**cross *one's* fingers**")		يَتمنى الحظَ السعيدَ
keep *one's* hair on (see "**keep *one's* (pants / shirt) on**")	*(S)*	يَتحكمُ في أعصابه ، يَكبحُ جماحَ مشاعرِه ، يَظلُّ ساكناً
keep *one's* (hands / nose) clean		يُحافِظُ على عِفَّةِ يده ، يُحافظُ على طهارةِ ذمّته ، لا يَلمسُ المالَ الحرامَ
keep *one's* mind on		يرَكِّزْ كل تفكيره في
keep *one's* nose to the grindstone		يَضَعُ كلَّ جُهدِه فيما يَعملُ
keep *one's* (pants / shirt) on (see "**keep *one's* hair on**")	*(S)*	يَحتفظُ بهدوئِه ، لا يَفقدُ صبرَه
keep *one's* powder dry		يَكُونُ مُقتَصِداً في نفقته ، يُحافظُ على ما يَملكُ (فسوف يَحتاجُه في الشدائدِ)
keep pace with *someone*		يَحذو حَذوَه ، يَخطو خُطاهُ
keep schtum! (see "**not a dicky-bird!**")	*(Br)* *(S)*	صَه! ، لا تنبِسْ ببنت شفةٍ!
keep *something* under *one's* hat		يَحْتَفِظُ به كسرٍّ ، لا يَبُوحُ به
keep the ball rolling		لا يَفْقِدُ حَمِيَّتَه أو حَمَاسَه

keep the pot boiling

يَتكسَّبُ ليُقِيمَ أودَه وأودَ من يعول ، يَتكسَّبُ لتستمرَ الحياةُ في مجراها الطبيعي

keep the wolf from the door ***(We hardly make enough money to keep the wolf from the door.)***

لا يَعُضُّهُ الجوعُ بنابِه

keep to *oneself*

يَعتَزِلُ الناسَ ، لا يُخالِطُ الآخَرين <> يُحافظُ على السرِّ ، لا يَبوحُ بشيءٍ

keep up with the Joneses

يَعملُ على مجاراةِ جيرانِه (في مستوى معيشتِهم وعادةً بمواردَ ماليةٍ أقل من مواردِهم)

kick against the pricks (see "(**knock / run)** *one's* **head against a wall**")

يُحاولُ أمراً مستحيلاً ، يَنطَحُ صَخرةً ليُوهِنَهَا

kick *one's* **heels**

ينتظرُ بفارغِ الصبرِ ، لا يُطيقُ صبراً أن يقولَ أو يعملَ شيئاً

kick *someone* **in the pants** *(S)*

يُوبِّخُه ، يَلومُه، يُؤنبُ ضَميرَهُ

kick *someone* **out** (see "**boot** *someone* **out**")

يُسَرِّحُهُ من الخدمة ، يَفْصِلُهُ من عمله

kick *something* **onto the long grass**

يُغْضِي الطَرْفَ عن مُشكلةٍ ، يَتغاضى عن مُشكلةٍ (أملاً في ألا يَلحظها أحدٌ أو أن يَتكفلَ بحلها الزمن)

kick the bucket		**يَمُوتُ ، يَلقَى مَنيّتَه**
kick up *one's* **heels**		**يَمرَحُ ، يَستمتعُ بوقتِه**
kickback		**رشوةٌ** (عادةً تُعطَى لأشخاصٍ نظيرَ استغلالِهم لنفوذِهم أو لموقعِهم الوظيفي)
kill the fatted calf		**يُولِمُ وليمةً ، يُقيمُ مَأْدُبَةً**
king's ransom		**مقدارٌ هائلٌ من المالِ ، مالٌ لا يُحْصَى، مالُ هارون** (معنى مجازي)
kiss and tell		**يَتحدثُ عن علاقةٍ جنسيةٍ مارسها** (بدافعِ الانتقامِ أو الابتزازِ) <> **يَبوحُ بأمرٍ سرّيٍ أو خاصٍ** (بعد أن اطلع عليه أو ائتُمِنَ عليه)
kiss *someone's* **butt** (see "**brown-nose** *someone*")	*(V)*	**يَتملّقُه أو يُداهنُه بشدةٍ**
knight in shining armor		**رجلٌ شهمٌ يَهبُّ لنجدةِ امرأةٍ في محنةٍ**
knitting with only one needle	*(S)*	**ناقصُ عقلٍ ، تنقصُه الكفاءةُ العقليةُ**
(knock / run) *one's* **head against a wall** (see "**kick against the pricks**")		**يُحاولُ أمراً مستحيلاً ، يَنطَحُ صَخرةً ليُوهِنَـهَا**

(knock / touch) on wood		يَتمنى الحظَّ السعيدَ ، يَستجلبُ حُسنَ الحظِّ ، يطرق على الخشب (منعاً للحسد)
knock into a cocked hat	*(S)*	يَضْرِبُ ضرباً مُبْرِحاً
knock it off!		مَه! ، تَوَقَّفْ! (عن فعلِ شيءٍ)
knock *something* **galley-west**		يَطرحُه أرضاً ، يُلقي به عرضَ الحائطِ (فيَتبعثرُ أو يَنقلبُ)
knock *something* **together**	*(S)*	يُجَهِّزُه أو يُعِدُّه في آخرِ لحظةٍ
knock the spots off *someone*	*(S)*	يَتفوقُ عليه ، يَفوقُه ، يَسبقُه
(know / learn) by heart		يَعلمُ عن ظهرِ قلبٍ، يحفظُ غيباً
(know / learn) the ropes		يَعْلَمُ المداخلَ والمخارجَ ، يَخْبُرُ الظاهرَ والباطنَ
know *one's* **onions**	*(S)*	يَصيرُ خبيراً (بشأنٍ ما)
know *one's* **own mind**		يَعْلَمُ ما في خبيئةِ ذاتِه ، يَخْبُرُ ذاتَ نفسِه
know where the shoe pinches		يَعلمُ السببَ الحقيقيَّ للمعاناةِ ، يَخْبُرُ أصلَ المشكلةِ

know which way the wind blows	يَتفهمُ ما يَدورُ حولَه ، يَخْبُرُ الظروفَ والملابساتِ
knuckle down	يَشرعُ في العمل بجهدٍ ونشاطٍ
knuckle under	يَستسلمُ ، يَصيرُ خاضعاً

L

labor of love

عملٌ يَقومُ به لمجرّدِ المتعةِ في تأديتِه <> عملٌ يَقومُ به لمصلحةِ من يُحِبُه

lager frenzy

عملٌ طائشٌ أو مجنونٌ تحتَ تأثيرِ الكحولياتِ

laid out in lavender

جاهزٌ للدفن (شخصٌ ميتٌ)

lame duck

شخصٌ لم يَعدْ قادراً على القيام بعملِه أو بواجبِه (تستخدم عادةً لوَصف الساسة الذين لم يعادُ انتخابُهم ويُمضون الأشهرَ الأخيرةَ في مناصبهم)

lares and penates

مُقتنياتٌ أُسَريَّةٌ ثمينةٌ ، مُلكيةٌ عائليةٌ قَيِّمَةٌ (مصطلحٌ قانونيٌّ)

last but not least

أخيراً وليسَ آخراً (آخرُ شخصٍ أو شيءٍ يُذْكَرُ ولكنه لا يقلُّ بأي حالٍ عمّن أو عمّا ذُكِرَ أولاً)

last-ditch ***(The marines were deployed in a last-ditch attempt to release the hostages.)***

أخيرٌ ، نهائيٌ (عادةً تُستخدمُ في سياقِ آخرِ محاولةٍ بعد فشلِ كل المحاولاتِ السابقةِ)

laugh in *one's* sleeve

يَضحكُ في سِرِّه ، يَكتمُ فرحتَه

English	Arabic
laugh like a drain	يَضحكُ بجَلَبَةٍ ويُثيرُ حفيظةَ الآخرين
laughing stock *(S)*	شخصٌ مَحَطٌّ للاستهزاءِ ، شيءٌ مَحلٌ للسخريةِ
(lay / pour / spread) it on thick (see "**lay it on with a trowel**")	يُغالي أو يُبالِغُ في فعلٍ (إطراءٌ أو ذمٌّ أو اعتذارٌ) لدرجةٍ غيرِ محمودةٍ
(lay / put) the finger on ***someone***	يَتَّهِمُه ، يَنْسَبُ إليه تهمةً (القيامُ بعملٍ أو قولُ شيءٍ)
lay a finger on ***someone or something***	يَجدُه ، يَعثرُ عليه <> يلمسُه
lay an egg	يَعملُ عملاً سيئاً أو دونَ المقبولِ (معنىٍ مجازي) <> يَبِيضُ ، يَضعُ بيضةً (معنى حرفي)
lay it on with a trowel (see "**(lay / pour / spread) it on thick**")	يُغالي أو يُبالِغُ في فعلٍ (إطراءٌ أو ذمٌّ أو اعتذارٌ) لدرجةٍ غيرِ محمودةٍ
lead a woman to the altar	يَتزوّجُها ، يَعْقِدُ عليها
lead ***someone*** **by the nose**	يَتحكّمُ فيه ، يُسَيِّرُه على هواه أو كيفما يَشاءُ
lead ***someone*** **(down / up) the (garden / garden path)**	يُغريه <> يُضلِلُه ، يُغويه

lead-pipe cinch ***(Our national team will win the next game. That's a lead-pipe cinch.)*** — نتيجةٌ محسومةٌ مُسبقاً ، شَيءٌ أَكيدُ الحدوثِ

left in the lurch (see "**high and dry**") — تخلى عنه الجميعُ وتَركوه في محنتِه

lend *one's* **ear to** *someone* — يُصغي له ، يَستمِعُ إلى نصيحتِه

let it all hang out *(S)* — يَتصرفُ على هواه ، يَفعلُ ما يَحلو له (بدون أيّ قيودٍ)

let *one's* **hair down** — يَتصرفُ كما يَحلو له بلا رقيبٍ أو حسيبٍ ، يَسيرُ على حَلِّ شعرِه

let the cat out of the bag *(S)* — يَبوحُ بالسرِ ، يُحَدِّثُ بما اؤْتمنَ عليه

let the old cat die — يَصبرُ على محنةٍ حتى تَأخذَ مجراها ، يُراقبُ أمراً عن بعدٍ (بدونِ أن يَتدخلَ فيه)

level the playing field — يَجعلُ المنافسةَ شريفةً أو عادلةً ، لا يَتحيزُ لطرفٍ على حسابِ طرفٍ آخر

level-headed — رزينٌ ، راجحُ العقلِ

lick into shape — يُصْلِحُ أمراً أو عملاً فاسداً

lick *one's* chops		يَسيلُ لُعابُه ، يَتلهفُ على الطعامِ
lie in *one's* teeth		لا يَعرفُ الصدقُ طريقَه إليه ، لا يَصْدُقُ أبداً
life is not all (beer / porter) and skittles	*(Br)*	الحياةُ ليستْ كُلُّها لهوٌ ومرحٌ
life of the party		روحُ الحفلة ، شخصٌ ممتعٌ يُضفي جاذبية لأية حفلةٍ
like a bat out of Hell (see "**like a house (afire / on fire)**")		بسرعةٍ خاطفةٍ ، بخِفَّةٍ ورشاقةٍ
like a bear with a sore head		شديدُ السخطِ ، مُتذمرٌ تماماً
like a book ***(I know this territory like a book.)***		تماماً ، بكلِّ معنى الكلمةِ ، بحذافيره
like a breeze		بِسهولةٍ ، بِيُسرٍ
like a bull in a china shop		جاهلٌ بتبعاتِ أفعالِه ، غافلٌ عما يُسبّبُه للآخرين من ضيقٍ أو حرجٍ
like a bump on a log		خاملٌ ، عاطلٌ ، هامدٌ
like a chicken with its head cut off	*(S)*	كالمجنونِ

English		Arabic
like a (hot knife / knife) through butter		بسلاسةٍ ، بدونِ عناءٍ
like a house (afire / on fire) (see "**like a bat out of Hell**")		بسرعةٍ خاطفةٍ ، بخِفَّةٍ ورشاقةٍ
like a lamb to the slaughter		يُساقُ إلى حَتْفِه ، يَجْهَلُ ما يُخْبِئُ له القَدَرُ
like a moth to a flame		يَنجذبُ إلى شخصٍ ، يَتهاوى إلى شيءٍ (رغماً عنه - عادةً تصف شخصاً مدلهاً بالحب أو مُدْمِناً للمشروباتِ الكحوليةِ)
like watching (grass grow / paint dry)		مملٌ جداً ، بطيءُ الإيقاعِ جداً
lily-livered	*(S)*	جبانٌ ، رِعديدٌ
limber *someone or something* **up**		يُهَدِّئُ من رَوعِ شخصٍ (معنى مجازي) <> يُلَيِّنُ عضلاتِ شخصٍ ، يُطَرِّي شيئاً (معنى حرفي)
live from hand to mouth		يَعيشُ على الكفافِ
live off the backs of *someone*		يَتطفلُ عليه ، يَعيشُ على حسابِه
live off the fat of the land		يَعيشُ على خيراتِ ونِعَمِ بلادِه

live on borrowed time			يَعيشُ بعد مِضي زمانِه أو انقضاءِ عمرِه
live on ***one's*** **nerves**			يَعيشُ على أعصابِه ، يَعيشُ في قلقٍ مستمرٍ
load of (cobblers / codswallop)	*(Br)*	*(S)*	هُرَاءٌ ، كلامٌ فارغٌ
loaded for bear			مستعدٌّ لكلِّ الاحتمالاتِ ، على أُهبةِ الاستعدادِ
loaded to the barrel (see "**loaded to the gills**" & "**half-seas over**")		*(S)*	سَكرانٌ ، ثَمِلٌ ، مَخمورٌ تماماً
loaded to the gills (see "**loaded to the barrel**" & "**half-seas over**")		*(S)*	سَكرانٌ ، ثَمِلٌ ، مَخمورٌ تماماً
loaves and fishes			أرباحٌ أو مزايا عينيةٍ يَتحصلُها الشخصُ بحكمِ منصبِه أو مركزِه
lock, stock and barrel (see "**the full monty**" & "**to the queen's taste**")			كلُ شيءٍ ، الأمرُ برمتِه
long in the tooth			مُسِنٌ ، عجوزٌ (تستخدم عادةً لوصفِ الحيوانات "الخيول" وقد تستخدم لوصفِ البشرِ)
look at ***something*** **through (rose-tinted / rose-colored) glasses**			لا يَرى مساوئَه ، لا يَرى إلا الجانبَ الحسنَ منه

look down *one's* nose at		يَحتَقِرُ ، يَزدري
look into *something*		يَدْرِسُهُ ، يُمَحِّصُهُ
loose cannon		شخصٌ لا يُتَنَبَّأُ بما قد يفعلُ ، شخصٌ يَحتاجُ للمراقبةِ طوالَ الوقتِ (و إلا تَسبّبَ في مشكلاتٍ)
lose face (see "**save face**")		يُفْضَحُ على الملأ ، تُهانُ كرامته علانيةً
lose *one's* train of thought		يَنقطعُ حبلُ أفكارِه ، يَفقدُ تسلسلَ أفكارِه
lose *one's* cool		يَفقدُ أعصابَه ، يَفقدُ رباطَةَ جأشِه
lose *one's* head		يجِنُّ جنونُه ، يَفقدُ عقلَه
lose *one's* marbles	*(S)*	تَذهبُ حَصَافَتُه ، يَفقدُ رَجَاحَةَ عقلِه
lose *one's* nerve		يَجْبُنُ عن فعل شيءٍ ، يَرْهَبُ القيامَ به
lose *one's* shirt	*(S)*	يَفقدُ كلَّ شيءٍ ، يَضيعُ كلُّ ما يَملكُه
love handles	*(S)*	طبقةُ الشحمِ حول منطقةِ الخَصْرِ

low man on the totem pole (see "**high man on the totem pole**")

شخصٌ (قد يكونُ رجلاً أو إمرأةً) يَتولى أقلَّ مسؤوليةٍ ، أقلُّ الأعضاءِ شأناً في منظمةٍ

lower hand (see "**upper hand**")

يدٌ سفلى ، في موضعٍ أسوأ

M

mad about *someone or something*		**مولعٌ به ، مغرمٌ به ، مُتَيَّمٌ به**
mad money		**مالٌ أو مصروفٌ للطوارئ** (مصروفٌ للسيداتِ لشراءِ مستلزماتٍ غيرِ أساسيةٍ كمستحضراتِ التجميلِ أو الحُلِيِّ على سبيلِ المثالِ)
(make / turn) the air blue	*(S)*	**يَستطردُ في السبابِ ، يُغْلِظُ في القولِ بفُحْشٍ**
make a beeline for *something*		**يتجهُ مباشرةً إليه ، يَسيرُ إليه في خطٍّ مستقيمٍ**
make a clean breast of it		**يُفضي بمكنونِ صدرِه ، يُقِرُّ بكلِّ شيءٍ**
make a mountain (of / out of) a molehill		**يَصنعُ من الحبَّةِ قبَّةً ، يُهَوِّلُ من أمرٍ**
make a move on *someone*		**يُحَاولُ أن يُغْرِيَها ، يُحَاولُ أن يُغْوِيَها**
make a pig's ear of (see "**in a pig's eye**")		**يُحْدِثُ فوضى ، يَتسببُ في بلبلةٍ**
make a play for *someone or something*		**يُحاولُ أن يَحصلَ أو يَستحوذَ عليه**

make a spectacle of *oneself*

يَبدو كالأحمقِ وسطَ الناسِ

make as (if / though) ***(I really do not like spicy food. I will make as (if / though) I am sick in order not to offend our host.)***

يَتظاهرُ ، كما لوكانَ

make away with *something* **(see "make off with** *something***")**

يَسرقُه <> يُدمرُه ، يُتلفُه <>
يَستهلكُه ، يَلتهمُه (أكلاً أو شُرباً)

make believe ***(The boy covered his left eye, waved his wooden sword, and made believe that he was a pirate.)***

يَتظاهرُ ، يَحلمُ ، يلعبُ لُعبة التقمُّص
(يَتخيلُ نفسَه شخصاً آخرَ أو أنه يَعملُ شيئاً آخر)

make bold

يَكونُ وَقِحاً ، يَتجاسرُ

make free with *something* ***(That's interesting. We invited him to our house once, he made free with it, and now he stops by every day after work.)***

يَتصرفُ كما لو كانَ مِلْكَه ، لا يَتقيدُ بقيودٍ تجاهَه

make friends with *someone*

يُصَادِقُه ، يَطْلُبُ ودَّه

make haste

يَتصرفُ بسرعةٍ (عادةً بتعجلٍ وعن غيرِ استعدادٍ)

make hay while the sun shines — يَستغلُّ الفرصةَ السانحةَ ، يَنتهزُ الفرصةَ المُتاحةَ

make neither head nor tail of *something* ***(After hours of discussion, they could make neither head nor tail of the matter.)*** — لا يَستطيعُ الحكمَ عليه ، غيرُ متيقّنٍ منه

make no bones about *something* — يقولُ الحقيقةَ خالصةً ، يَسردُ الحقائقَ مُجَرَّدَةً ، لا يَدَعُ مجالاً للشكِ

make off with *something* **(see "make away with** *something***")** ***(While the family was on vacation, thieves made off with everything in the house.)*** — يَسرقُه

make *one's* **flesh creep (see "give** *someone* **the creeps")** — يَقشعرُّ له بدنُه ، يُنَفِّرُه ، يُرْعِبُه

make *one's* **hair stand on end** — مُرْعِبٌ جداً ، مُخِيفٌ لأقصى حدٍّ ، يُشِيبُ خوفاً

make out with *someone* *(S)* — يَحضنُها ويُقَبِّلُها (كمقدمةٍ لممارسة الجنسِ)

make *someone's* **day** — يُسْعِدُ يَومَه ، يُبْهِجُه

make *something* **out of** *somebody or something* ***(The mentor worked with the delinquent young man for a few*** — يَصْنَعُ منه شيئاً ، يَخْلُقُ منه أمراً

years and made an honorable man out of him.)

make tracks ***(We'd better make tracks right away. Otherwise, we will be late for dinner.)***

يَنصرفُ على عجلٍ ، يُغادرُ على عُجالةٍ

make up *one's* **mind**

يُقرّرُ ، يَتّخذُ قرارَه ، يُحدّدُ موقفَه

make waves

يَتسبّبُ في مشاكلٍ <> يَتباهى ، يَتفاخرُ

man after my own heart (see "**man of my kidney**")

شخصٌ عطوفٌ <> شخصٌ أتفقُ معه ، شخصٌ يُوافقُني

(man / woman) of few words

شخصٌ (قد يكونُ رجلاً أو امرأةً)
شحيحُ الكلامِ

(man / woman) of means

شخصٌ ثريٌّ / موفورُ المواردِ (قد يكونُ رجلاً أو إمرأةً)

man of my kidney (see "**man after my own heart**")

شخصٌ عطوفٌ <> شخصٌ أتفقُ معه ، شخصٌ يُوافقُني

(man / woman) of the world

شخصٌ (قد يكونُ رجلاً أو إمرأةً)
مُحنّكٌ أو عَرَكَته التجاربُ أو رفيعُ الثقافةِ

manna from heaven

حظٌ وفيرٌ غيرُ متوقعٍ ، رِزقٌ من لَدُن العنايةِ الإلـهيةِ

mare's nest		شيءٌ يُحْدِثُ ضجّةً كبيرةً عند اكتشافه ثم تَتَضِحُ حقيقتُه المتدنيةُ مع الوقتِ
mea culpa **(Latin)**		أنا المَلُوم ، هذا ذنبي
meat and potatoes person	*(S)*	شخصٌ بسيطٌ ، شخصٌ عاديٌّ ، شخصٌ يُفضّلُ البساطة
meddlesome Matty	*(S)*	شخصٌ فضوليٌّ ، شخصٌ طُفيليٌّ (تستخدم عادةً لوَصف امرأةٍ)
meeting of the minds		تفاهمٌ بين أشخاصٍ ، توافقُ في وجهاتِ النظرِ
mend fences		يُعيدُ العلاقاتِ التي انقطعت مع الآخرين
mess around with *someone*		يَعبثُ معها (عادةً لها محملٌ جنسيٌّ)
mess *someone* **up**		يُضايقُه ، يُسببُ له مشاكلاً <> يَضربُه ، يُعاملُه بقسوةٍ
mess *something* **up**		يَعبثُ به ، يَذهبُ بترتيبِه أو بنظامِه
Mexican wave		موجةُ تحيةٍ في مدرجاتِ كرةِ القدمِ (تصفُ تبادل وقوف وجلوس المشجعين بالمدرجات بشكلٍ متتابعٍ فيبدو مظهرهم العام كتموّجِ الموجةِ)

mind *one's* **own business** (see "**mind** *one's* **P's and Q's**" & "**stick to** *one's* **own knitting**")		**لايَشغلُ نفسَه بما لا يَخصُه ، يَهتمُ بأمورِه الشخصيةِ فقط**
mind *one's* **P's and Q's** (see "**mind** *one's* **own business**" & "**stick to** *one's* **own knitting**")		**لايَشغلُ نفسَه بما لا يَخصُه ، يَهتمُ بأمورِه الشخصيةِ فقط**
misery guts	*(S)*	**شخصٌ تعيسٌ دائمُ الشكوى**
miss a beat		**يَترددُ لحظياً** (من باب الارتباكِ أو الالتباسِ)
moaning Minnie	*(S)*	**شخصٌ دائمُ التذمرِ أو الدمدمةِ**
money for old rope	*(S)*	**مالٌ أو مكسبٌ سهلٌ**
money to burn		**مالٌ زائدٌ عن الحاجة ، مالٌ وفيرٌ**
monkey's allowance		**مصروفٌ أو رِبْحٌ زهيدٌ جداً** (مُقارناً بالمجهودِ المبذول)
(month / week) of Sundays		**وقتٌ طويلٌ مملٌ ، زمنٌ خالٍ من أي متعةٍ**
moot point		**سفسطةٌ ، جَدَلٌ بيزنطيٌ**

more bark than bite (See "**all bark and no bite**")		ليس سيئاً كما يبدو ، أفضلُ مما هو مُتوقعٌ منه <> تهديداتٌ فارغةٌ
more catholic than the Pope		شديدُ التعصبِ بلا داعٍ ، مَلَكِيٌّ أكثر من المَلِكِ
(more power / power) to your elbow!		أعانكَ الله! ، كانَ الله في عونِك! ، بالتوفيقِ والسدادِ!
more *something* than one can shake a stick at		عددٌ لا يُحْصَى من ، العديدُ والعديدُ من
morning person (see "**night owl**")		شخصٌ يَنْشَطُ بالنهارِ
mother country		أرضُ الآباءِ والأجدادِ ، الموطنُ الأصليُ
(mouth watering / mouthwatering)		يَسيلُ له اللعابُ ، شَهِيٌّ جداً
move the goalposts		يَتلاعبُ بالقواعدِ أو بالقوانين للتأثيرِ على نتيجةِ أمرٍ أو صراعٍ
movers and shakers & **shakers and movers**		الأشخاصُ المُفْعَمون بالحيويةِ والنشاطِ ، الأشخاصُ ذوو التأثيرِ
mumbo-jumbo (see "**horse feathers**")	*(S)*	هُراءٌ ، كلامٌ فارغٌ
mum's the word!		لاتنطقْ بكلمةٍ! ، اصْمتْ! <> لا تُخبرْ أحداً

music to *someone's* ears — خَبَرٌ يَسُرُّه <> صَوتٌ تَستعذِبُه أذناه

my better half — إشارةٌ إلى الزوجةِ أو إلى الزوجِ

my cup runneth over — لديَّ أكثرُ مما أحتاجُ ، عندي ما يكفيني وزيادةٌ، عندي فائضٌ

my old china *(S)* — صديقٌ عزيزٌ ، خِلٌّ وفيٌ

my old Dutch *(S)* — زوجتي الحبيبةُ

N

nail biter — مليءٌ بالإثارةِ ، مُثيرٌ للقلق

nail in *one's* coffin — عملٌ سيئٌ يُعَجِّلُ بنهايتِه ، مسمارٌ في نَعشِه

nail *one's* colors to the mast — يُعَبِّرُ عن أراءِه أو معتقداتِه بتحدٍ <> يَثْبُتُ على رأيِه للنهايةِ

nail *something* to the counter — يُعلنُ صراحةً أنه شيءٌ كاذبٌ أو مُزيَّفٌ

namby-pamby *(S)* — عاطفيٌّ بشكلٍ طفوليٍ ، عاطفيٌّ بغير نُضْجٍ

name and shame *(Br)* — تسميةُ من ارتكبَ جُرماً لفضحِه علانيةً

narrow escape (see "**close call**" & "**close shave**") — هروبٌ في آخرِ لحظةٍ ، نجاةٌ بأعجوبةٍ

neither hide nor hair of *someone or something* ***(Where is Tom? I saw neither hide nor hair of him since last week.)*** — لا أثرَ له ، لا دليلَ على مكانِه بالمرةِ

neither rhyme nor reason ***(Neither rhyme nor reason can explain what he did.)*** — لا معنى له ، ليسَ عقلانياً ، ليسَ منطقياً

nerves of steel		أعصابٌ من حديدٍ ، أعصابٌ هادئة تماماً
nest egg		مالٌ يُوضَع جانباً للطوارئ ، احتياطيٌ نقديٌ
nest of vipers		وكرُ الأفاعي ، مكانٌ يَتجمّعُ فيه الأشرارُ
never mind		لا تدعه يَشغلُك ، لا تُعِرْه اهتماماً ، لا تشغل بالَك به
never you mind		هذا ليس من شأنِك ، هذا أمرٌ لا يَخصُك
night owl (see "**morning person**")		شخصٌ يَسهرُ أو يَنشَطُ ليلاً
nine-day wonder		شيءٌ حديثٌ يَفقدُ بريقَه بعدَ فترةٍ وجيزةٍ
nip and tuck ***(Both teams are doing very well. They are nip and tuck.)***		مُتعادلان ، في سجالٍ <> عمليةُ تجميلٍ لإزالةِ تجاعيدِ الوجهِ
nip *something* **in the bud**		يَئدُه في مهدِه ، يَقضي عليه قبل أن يَستفحلَ
nitty-gritty	*(S)*	جوهرٌ ، أساسٌ ، لبٌّ
no dice	*(S)*	لا يُمْكِنُ عملُ شيءٍ ، لا يُمْكِنُ قبولُ القضيةِ أو العَرْضِ

no great shakes		لا يُوجدُ ما يُميزُه ، عاديٌّ ، متوسطٌ
no holds barred		بلا أي قيودٍ ، بدونِ أي قواعدٍ
no room to swing a cat		حيزٌ صغيرٌ جداً ، مكانٌ ضيقٌ جداً
no skin off *one's* **nose** ***(It's no skin off your nose whether or not I will play the next game.)***		ليسَ من شَأنِه ، لا يَهُمُّه
no strings attached **(see "fancy-free")**		بلا قيودٍ ، بدون التزاماتٍ
no two ways about it		لا يُوجدُ اختياراتٍ ، هناك جوابٌ واحدٌ فقط
no-brainer		أمرٌ سهلُ الفهمِ ، شأنٌ لا يَحتاجُ لإجهادِ الذهنِ
noise *something* **(about / around)**		يَسري بالنميمةِ به ، يُطلقُ الشائعة عنه
none of your funeral	*(Am)* *(S)*	اهتمْ بما يَخصُك فقط ، هذا ليس من شأنِك
nose-to-nail (for vehicles) **(see "bumper-to-bumper")**		ظَهراً لظهرٍ ، مؤخرةٌ لمؤخرةٍ

(nosy / nosey) parker		*(S)*	شخصٌ فَضُوليٌّ ، امرؤٌ مُحِبٌّ للاستطلاعِ بطبعِه
not a Chinaman's chance (see "**not a snowball's chance in hell**")			لا أملَ له على الإطلاقِ ، ليس له أيّةُ فرصةٍ
not a dicky-bird! (see "**keep schtum!**")	*(Br)*	*(S)*	صَه! ، لا تنبِسْ ببنت شفةٍ!
not a snowball's chance in hell (see "**not a Chinaman's chance**")			لا أملَ له على الإطلاق ، ليس له أيّةُ فرصةٍ
not (amount to / worth) a hill of beans			غيرُ مجدٍ ، عديمُ القيمةِ
not amount to a bucket of spit		*(V)*	غُثاءٌ ، قولٌ ولا فعلٍ
not bat an (eye / eyelid)			لا يَطْرِفُ ، لا يُبدي أية علامةٍ على التأثرِ
not (care / worth) a fig (see "**not worth a (plugged nickel / rap / straw)**")			لا قيمةَ له ، عديمُ القيمةِ
not care a fiddlestick			لا يُبالي بالمرّةِ ، غيرُ مُهتمٍ على الإطلاقِ
not dry behind the ears			بريءٌ كالأطفال ، غيرُ مُلوّثٍ

not for all the tea in China — ليس للبيع بأي ثمنٍ ، لا يعْدُلُهُ مالٌ

not for money, marbles, nor chalk
(I won't sell my land, not for money, marbles, nor chalk.) — لا يَعْدُلُه ثمنٌ ، ولا بأيِّ ثمنٍ

not give a rat's ass *(Am)* *(V)* — لا يُعنيه بالمرةِ ، لا يَهمُه على الإطلاقِ

not have two pennies to rub together — فقيرٌ مُعْدَمٌ ، لا درهمَ له ولا دينارَ

not hold water — ذو منطقٍ مغلوطٍ ، غيرُ راسخٍ

not know B from a (battledore / broomstick / buffalo's foot / bull's foot) — جاهلٌ جهلاً مُطبقاً ، أُمِّيٌّ لا يَعي شيئاً

not know beans about *someone or something* — لا يَعْلَمُ شيئاً عنه ، جاهلٌ تماماً بشأنِه

not know if *someone* **is afoot or on horseback** — يَكونُ في حيرةٍ من أمرِه (شخصٌ آخرُ) ، لا يَستطيعُ سَبْرَ أغوارِه

not know *someone* **from Adam** — لا يُمْكِنُهُ تمييزَه بالمرةِ ، لا يُمكنُه التعرّفُ عليه على الإطلاقِ

not leave a stone unturned (see "**pull out all the stops**")	لا يَألو جهداً ، يَدعمُ بكلِّ ما يَملكُ ، لا يَتركُ باباً لا يَطرقُه
not my cup of tea	أمرٌ لا أرغَبُ فيه ، شأنٌ لا حاجةَ لي به
not sleep a wink	لم يَغمضْ له طرفٌ
not the brightest bulb on the Christmas tree (see "**not the sharpest knife in the drawer**" & "**not the sharpest tool in the shed**")	بليدٌ ، خفيفُ العقل
not the sharpest knife in the drawer (see "**not the sharpest tool in the shed**" & "**not the brightest bulb on the Christmas tree**")	بليدٌ ، خفيفُ العقل
not the sharpest tool in the shed (see "**not the sharpest knife in the drawer**" & "**not the brightest bulb on the Christmas tree**")	بليدٌ ، خفيفُ العقلِ
not turn a hair ***(The people standing around wouldn't turn a hair to help me.)***	لا يُبدي أيَّ اهتمامٍ ، غيرُ عابئٍ
not worth a (plugged nickel / rap / straw) (see "**not to (care / worth) a fig**")	لا قيمةَ له ، عديمُ القيمةِ

not worth the candle	**لا يَستحقُ العناءَ ، عديمُ القيمةِ**
not worth the paper it's (printed / written) on	**لا يُساوي ثمنَ الحبرِ المكتوبِ به** (لاحظ أن المقابلَ العربيَّ يتحدثُ عن الحبرِ وليسَ الورقِ)
nothing to sneeze (about / at)	**ليسَ بالقَدْرِ القليلِ ، يُعْتَدُّ به**
nourish a viper in *one's* bosom	**يَفتحُ بابَه لمن سيغدرُ به ، يَأتمنُ من لا يُؤتمنُ**

O

of all the nerve! **(see "what a nerve!")** — يا لوقاحتك! يا للوقاحة!

of the first water — قَطْفَةٌ أولى ، على أعلى مستوى

of two minds about *someone or something* — لم يَستقرَّ بعدُ على رأيٍ محددٍ بخصوصِ ، مُتذبذبٌ فيما يَخصُ (شخصٌ أو شيءٌ)

(off / out) of *one's* **(head / mind)** — مجنونٌ ، مخبولٌ

off limits ***(My father's study was off limits to the rest of the family.)*** — غيرُ مسموحٍ به ، ممنوعُ الاقترابُ منه

off *one's* **base** — مُختلٌّ ، يَتصرفُ بحماقةٍ

off *one's* **own bat** *(Br)* — بمجهودِه الخاصِ أو الشخصي

off *one's* **(nut / rocker / trolley)** — مجنونٌ ، مخبولٌ

off the books — بشكلٍ غيرِ رسميٍ ، غيرُ مُسَجَّلٍ (تستخدم عادةً لوَصف دخلٍ أو راتبٍ يُدفعُ بعيداً عن المهايا الرسميةِ)

<u>off the hook</u> (ring ~) ***(The phone was ringing off the hook.)***	*(Am)*	**بكثرةٍ ، بلا توقفٍ**
<u>off the hook</u> ***(Thank you for getting me off the hook. I didn't want to meet him in the first place.) & (He is happy as a clam for being off the hook on his debt.)***		**تَمَّ إعفاؤه من الوفاءِ بتعهدٍ ، أَفلتَ من موقفٍ صعبٍ**
<u>off the record</u>		**بشكلٍ سري ، لا يُحْسَبُ على قائلِه**
<u>off the schneid</u>		**لم يَعُدْ مُبتدِئاً ، أَصبحَ في الصورةِ ، أَصبحَ مُعتبَراً**
<u>off the top of</u> *<u>one's</u>* <u>head</u>		**بشكلٍ تلقائي ، بلا تجهيزٍ ، عفوُ الخاطرِ**
<u>off the wagon</u> (see "<u>on the (wagon / water wagon)</u>")	*(S)*	**يَعودُ لشُربِ الخمورِ أو الكحولياتِ ، يَنتكسُ بعد محاولتِه التوقفَ عن الشربِ**
<u>old codger</u>	*(S)*	**شخصٌ** (عادةً رَجُلٌ) **عجوزٌ غريبُ الأطوارِ ، امروٌ سيئُ المِزاجِ**
<u>old hat</u>		**عتيقُ الطِّراز ، مُبْتَذَلٌ**
<u>Old Nick</u>	*(S)*	**الشيطانُ الرجيمُ ، إبليس**

(on / to cash on / to pay on) the (barrelhead / line / nail)	*(Am)*	*(S)*	**واجِبُ السّدادِ فوراً ، مُسْتَحَقُّ الدفعِ بلا أي تأخيرٍ**
on a hiding to nothing			**في مَحَل اختيارٍ بين رهانين محسومين مُسبقاً** (عادةً تُستخدمُ في رياضاتِ السرعةِ وفي سباقِ الخيلِ عندما يَختارُ الشخصُ بين الرهانِ على فرسٍ مضمونٌ فوزهُ مسبقاً أو الرهانِ على فرسٍ آخرٍ لن يُمْكِنَه الفوزُ بأي حالٍ. في كلتي الحالتين لن يَكونَ هناك مردودٌ ماديٌ للرهانِ)
on a wing and a prayer			**يَسيرُ ببركة الله ، في وضعٍ سيئٍ ولكنه يَكفي بالكاد**
on Carey street	*(Br)*	*(S)*	**مُفْلِسٌ ، تخنقه الديون**
on cloud nine			**نشوانٌ من الفرحة ، يطيرُ فرحاً**
on *one's* **head** ***(If this plan fails, it is on his head.)***			**يُلامُ عليه ، يُسألُ عنه**
(on *one's* **/ to ride the) high horse** (see "**high and mighty**")			**يَتشامخُ أو يَتعالى على الآخرين**
on *one's* **brain** ***(All the Beetles' songs are on my brain.)***			**على بالِه ، يَتذكّرُه ولا يَنساه**
on *one's* **last legs**			**يَلعبُ بآخرِ أوراقِه ، يَعتصرُ آخرَ طاقتِه**

on *one's* mind	على بالِه ، في خاطرِه
on paper	بشكلٍ مكتوبٍ ، مطبوعٌ <> بشكلٍ نظريٍ (عكس ما هو واقعيٌّ أو فِعليٌّ)
on pins and needles (see "**on tenterhooks**")	يَنتظرُ بقلقٍ وتوجسٍ ، يَنتظرُ على أعصابِه
on *someone's* nerves	يُزعجُه ، يُضجِرُه
on stream ***(The new power plant will go on stream next month.)***	في حَيزِ التَّشغيل ، في نِطاقِ الخِدمة
on tenterhooks (see "**on pins and needles**")	يَنتظرُ على أَحَرِّ من الجَمْرِ
on the anxious (bench / seat)	قَلِقٌ ، مُتَلَهِّفٌ
on the ball	مُتَيَقِظٌ ، مُنْتَبِهُ الحواسِ
on the beam	صحيحٌ تماماً ، شديدُ الدِقَّةِ ، على جادَّةِ الصوابِ
on the bubble	على الحافَّةِ بين النجاحِ والفشلِ
on the bum *(Am)* *(S)*	سكرانٌ تماماً <> يَحيا حياةَ المُشَرَّدين

on the button		في الوقتِ المناسبِ تماماً <> يَسيرُ كما هو مُخَطَّطٌ له بالضبطِ
on the carpet		قَيْدَ البَحثِ ، تحتَ التمحيصِ <> مُلامٌ ، مُوَبَّخٌ
on the cuff		بالائتمانِ ، عن طريقِ الحسابِ الدائن (تستخدم عادةً لوَصف طريقةِ إجراءِ معاملاتٍ ماليةٍ)
on the cusp of *something* ***(The internet was on the cusp of a new age in communication.)***		يُشَكِّلُ نقطةَ تحولٍ ، يُمَثِّلُ لحظةَ انتقالٍ (من عصرٍ لعصرٍ على سبيلِ المثالِ)
on the dole	*(Br)* *(S)*	يَعيشُ على الإعانةِ الحكوميةِ
on the double		بسرعةٍ مضاعفةٍ ، بلا توانٍ
on the fence about *something*		لم يَستقرَّ على رأيٍ بعد ، لم يَحسمْ الاختيارَ بين أمرينِ
on the fiddle	*(S)*	يُمارسُ الاحتيالَ ، يحتالُ
on the fritz (see "**go haywire**")		مُعَطَّلُ ، خَارجُ الخِدمةِ
on the go		في نشاطٍ دائبٍ ، مشغولٌ تماماً

on the horns of a dilemma	يَختارُ بين أمرين أحلاهما مُرّ
on the (level / square)	بصراحَةٍ ، بنزاهَةٍ ، بإخلاصٍ
on the money	بالضبطِ ، بكل دِقَّةٍ
on the nose (see "**in the nick of time**")	في وقتِه بالضبط <> في الوقتِ المناسبِ
on the pig's back	سعيدُ الحظِ ، في نعيمٍ
on the QT	بهدوءٍ
on the rocks	في وضعٍ مُنهارٍ ، كالحُطامِ <> مع مكعباتِ الثلجِ فقط (بدونِ ماءٍ أو صودا - طريقةُ تقديمِ مشروبٍ كحوليٍّ)
on the same (page / wavelength) ***(The reason I explained everything in detail is that I wanted everyone to be on the same (page / wavelength).)***	مُتّفقون في وجهاتِ النظرِ ، مُتفاهمون
on the take ***(Some government officials are on the take.)***	آخذٌ للرشوةِ ، طالبٌ للرشوةِ
on the tip of *one's* tongue	على طرفِ لسانِه ، يَكادُ يَنطقُ به

on the trot	*(Br) & (Au)*	**مرةً تلوَ الأخرى <> بلا توقفٍ**
on the (wagon / water wagon) **(see "off the wagon")**	*(S)*	**يَمتنعُ عن شُربِ الخمورِ أو الكحولياتِ**
on the warpath		**عازِمٌ على القتالِ ، مُصممٌ على الحَربِ**
on thin ice ***(If you don't advise the board to take immediate action, you will be treading on thin ice.)***		**في وضعٍ خطيرٍ ، في موقفٍ شائكٍ**
on top of the world		**نشوانُ ، في قمةِ السعادةِ ، مَغْبوط**
on your (own / tod)	*(S)*	**بِنَفْسِك ، لن يساعدَك أحدٌ**
once and for all		**أخيراً ، في المنتهَى <> لا مَرَدَّ له ، لا مُعَقِّبَ عليه**
once in a blue moon		**نادراً جداً**
one for the books		**أمرٌ أو قولٌ جديرٌ بالتسجيلِ ، سَجِّلْ يا زمان!**
one for the road	*(S)*	**مشروبٌ أخيرٌ** (خَمْر) (عادةً قبل أن يغادرَ الحانة أو قبل أن يبدأ عملاً)

one **is going to town** ***(Sam is really going to town on his new project.)***		في طريقِه للقيامِ بعملٍ ممتعٍ ، ملؤُه السعادةُ والمرحُ
one over the eight	*(Br)* *(S)*	آخرُ مشروبٍ (خَمْر) يَصيرُ به الشخصُ سكراناً
one's **Achilles' heel** (see "**chink in** *one's* **armor**")		نقطةُ ضعفِه القاتلةُ
one's **Waterloo**		نهايتُه المأساويةُ ، آخرُ صولاتِه
one-hit wonder		فنانٌ له عملٌ واحدٌ مشهورٌ أو ناجحٌ
one-horse town		بَلْدَةٌ شديدة الصِغَرْ ، مَدينةٌ لا أهميةَ لها
one's **back (against / to) the wall**		في مأزقٍ لا فرارَ منه
one's **cake is dough**		فَشلت خِطّتُه ، حَبِطَ عملُه ، خابَ رجاؤُه
one's **claws are showing**		مُتحفِّزٌ ، مُستعدٌ للانقضاضِ <> يَتحدّثُ بألفاظٍ جارحةٍ مُهينةٍ
one's **heart bleeds**		يَدْمَى قلبُه ، يَنفطِرُ قلبُه

one's **heart is set against** *something* (see "*one's* **heart is set on** *something*")

نافرٌ منه ، كارهٌ له

one's **heart is set on** *something* (see "*one's* **heart is set against** *something*")

معجبٌ به ، راغبٌ فيه

one's **money's worth**

القيمةُ التي دفعَها بالكاملِ

one's **name is mud!**

هُوَ غَبيٌّ ، هُوَ ثِرثَارٌ يَهْذُرُ

one's **number is up**

حانَ أوانُ حِسَابِه <> حَلَّ قَدَرُه أو موعدُ موتِه

one's **party piece**

عَرْضُه أو خُدعتُه والتي تضفي جواً مرحاً على الحفلةِ

one's **two cents' worth**

رأيهُ الشخصيُ

one's **walking papers**

إفادةٌ خطيةٌ بالفصلِ من الوظيفةِ

open (a few / some) doors for *someone*

يَفتحُ له آفاقاً ، يُعطيه فرصةً ، يُعَرِّفُهُ بذوي النفوذِ

open book (see "**closed book**")

شخصٌ مُنفَتِحٌ ، شخصٌ يَسْهُلُ سبرَ أغوارِه

out and about	يَذهبُ ويَجيء ، مُتخالطٌ أو مُتداخلٌ اجتماعياً
out in the cold	مُهْمَلٌ ، محرومٌ (مما يتمتع به آخرون)
out of joint	غيرُ مُنسجمٍ ، في غيرِ مَوضِعِه
out of *one's* element	على غيرِ هواه ، غيرُ مُنسجمٍ مع طباعِه
out of *one's* mind	مجنونٌ ، مخبولٌ
out of sorts	معتلُّ الصحةِ ، ليس على ما يُرامُ
out of the blue	غيرُ متوقعٍ على الإطلاقِ
out of the jaws of death	فَلَتَ من أنيابِ الأسدِ ، نجا من الموتِ بأعجوبةٍ
out of the woods	عَبَرَ مرحلةَ الخطورةِ ، تَخَطّى الفترةَ الحرجةَ
out of work	بلا عملٍ ، عاطلٌ
out on the town	يَحتفلُ ويَسهرُ ليلَه بأكثرَ من مكانٍ

outside the box	بشكلٍ خَلّاقٍ ، غيرُ ملتزمٍ بالقواعدِ أو بالقوانينِ التقليديةِ
over (a / the) barrel	عَاجِزٌ ، لا حيلةَ له <> في وضعٍ حَرِجٍ
over my dead body	على جثّتي ، لن يحدثَ أبداً
over *one's* **head**	فوق إمكانيتِه الماديةِ <> فوق قدرتِه على الإدراكِ
over the moon	نشوانٌ من الفرحةِ ، في غمرةِ السعادةِ، مَغبوط
over the top	زائدٌ عن الحدِّ ، فوقُ المعقولِ

P

pace *something* **out** ***(He paced the room out.)***		يَقيسُه (عادةً بعددِ الخطواتِ)
pack it in	*(S)*	يَيأسُ عن عملِ شيءٍ ما <> يَذهبُ للفراشِ ، ينامُ
pack rat	*(Am)* *(S)*	شخصٌ مهووسٌ بالتجميعِ ، شخصٌ يَختزِنُ كلَّ شيءٍ
paddle *one's* **own canoe** (see "**(hoist / lift / pull up)** *oneself* **by** *one's* **bootstraps**" & "**hoe** *one's* **own row**")		يَعتمدُ على نفسِه ، يَأخذُ مصيرَه بين يديه
pain in the neck		إزعاجٌ ، تأريقُ مَضجعٍ <> شخصٌ مُزعِجٌ
paint the town red	*(S)*	يَسهرُ ويَقضي ليلَه في صخبٍ وشُربٍ
palsy-walsy	*(S)*	صاحبٌ في الظاهرِ (عادةً لغرضٍ مؤقت)
(paper / smooth) over the cracks (See "**paper over** *something*")		يُخفي المشاكلَ ، يُواري العيوبَ (حِفاظاً على المظهرِ العام)
paper chase ***(It was a paper chase to get a bank loan for my business.)***		تعبئةُ عددٍ لا حصرَ له من المستنداتِ (لتحقيقِ غرضٍ ما – تستخدم عادةً

لوَصف التعاملِ مع الإجراءاتِ الروتينيةِ التي لا حصرَ لها)

paper over *something* **(see "(paper / smooth) over the cracks")** ***(The company tried to paper over the deficit. However, the thorough auditing was able to expose it.)***		**يُخفيه ، يُبعدُه عن الأنظارِ <> يُزيِّنُه ، يُجَمِّلُه** (حِفاظاً على المظهرِ العام)
paper tiger		**نمرٌ من وَرَقٍ** (شخصٌ يَظنُّه الناسُ قوياً ولكنه عاجزٌ حتى عن حمايةِ نفسِه)
paper trail		**توثيقٌ بالمستنداتِ** (لتتبعِ مسارِ الأحداثِ أو لتمحيصِ شخصٍ أو فعلٍ)
par for the course		**ما هو متوقعٌ ، نَمَطِيٌّ**
parting shot		**ملحوظةٌ أخيرة يقولها شخصٌ قبلَ أن يرحلَ مباشرةً** (عادةً تكون مُهينةً أو مُحِطَّةً للقَدْرِ)
party animal	*(S)*	**شخصٌ يَرتادُ العديدَ من الحفلاتِ واللقاءاتِ الاجتماعيةِ**
party line		**منهاجٌ للحزبِ لا يَحيدُ عنه الأعضاءُ** (تستخدم عادةً لوَصف الخط العامِّ للحزبِ أو موقفِه من القضايا الرئيسيةِ)
party pooper	*(S)*	**شخصٌ يُفسدُ على الآخرين فرحَهم**

pass the buck (see "**the buck stops here**")	**يَتَجَنَّبُ أو يَتَحاشى المسؤولية** (عادةً بإلقائها على غيرِه)
pay attention	**يَنتبهُ ، يُعيرُ انتباهَه**
pay the (fiddler / piper)	**يَجني عاقبةَ ما جنت يداه ، يَلقى عاقبةَ أعمالِه**
pay through (*one's* / the) nose (see "**bleed *someone* white**")	**يَدفعُ ثمناً باهظاً ، يَتكلفُ ثمناً فادحاً**
(paying / working) for a dead horse	**القيامُ بعملٍ دُفِعَ أَجرُه مُسبقاً ، القيامُ بمهمةٍ لا طائلَ ملموسَ منها**
peanut gallery	**نَقْدٌ لا يُعْتَدُّ به** (عادةً من شخصٍ تافهٍ لا يُعْتَدُّ برأيه)
pearls before swine	**نِعَمٌ تَتمتعُ بها الأَنعامُ** (يَستمتعُ بها من لا يستحقُّها ولا يُقدرُها حقَ قدرِها)
pears for *one's* heirs	**مالٌ يَدَّخِرُه للأجيالِ اللاحقةِ أو لورثتِه**
pebble on the beach (see "**face in the crowd**" & "**fish in the sea**")	**شخصٌ تافهٌ ، امرؤٌ بلا قيمةٍ**
peeping Tom *(S)*	**شخصٌ يَسترقُ النظرَ على الآخرين ، مُتلصّصٌ على الآخرين**
pep talk	**خطابٌ حماسيٌ** (لتأجيجِ مشاعرِ الأتباعِ أو أفرادِ فريقٍ وحثِّهم على بذلِ المزيدِ)

pepper and salt	**أسودٌ يَشوبه البياض**
pester power	**القدرة عل نَيْلِ ما يَتمناهُ عن طريقِ الإلحاحِ أو الإزعاجِ المستمرِ** (أسلوبٌ يتبعه الأطفال لدفع والديهم على شراءِ ما يريدونه في النهاية بعد طُولِ إلحاحٍ)
peter out	**يَتلاشى تدريجياً ، يَضمحلُ حتى يَنعدمُ**
petty cash	**مصروفٌ صغيرٌ** (للمشترواتِ البسيطةِ والنثرياتِ)
pick *someone's* **brain**	**يَستدرجُه في الحديثِ** (عادةً بدهاءٍ وحيلةٍ)
pick up sticks (see "**up sticks**")	**يُغادرُ مُسْتَقَرَّه ، يُغادرُ موطنَه**
pie in the sky	**كلامٌ أجوفٌ ، الوعدُ بخيرٍ لاحقٍ لا ينفعُ في واقعٍ مريرٍ**
piece of cake	**شديدُ السهولةِ**
piece of the action	**نصيبٌ من العملِ <> حصةٌ من الربحِ أو العائدِ**
pig in a poke	**عرضٌ شديدُ الإغراءِ** (يَقبلُه الساذجُ الأَغَرُّ على عجلٍ وبلا تمحيصٍ)

pile on the agony — **يَكسبُ عطفَ الآخرين بالتزيدِ في سردِ همومِه**

pillow talk — **حديثٌ وديٌ بلا تحرّجٍ** (بين شريكين في الفِراشِ)

pin money — **مصروفٌ** (عادةً للسيداتِ لشراءِ مستلزماتٍ غيرِ أساسيةٍ (مستحضراتِ تجميلٍ أو حُليٍّ على سبيلِ المثالِ)

pin *one's* **hope on** *someone or something* — **يُعلّقُ أملَه على شخصٍ أو شيءٍ**

pipe down! (see "**put a sock in it!**") — **الزَمْ الهدوءَ! ، كُنْ هادئاً!**

pipe dream — **أملٌ غيرُ واقعيٍ** (لن يتحققَ)

piping hot — **ساخِنٌ جداً** (تستخدم عادةً لوَصف الطعامِ)

plague on both *one's* **houses** — **خياران أحلاهما مُرٌّ**

(plain / smooth) sailing — **تقدّمٌ يسيرٌ ، نجاحٌ سهلٌ** (بلا عوائقَ)

(play / raise) hob (see "**raise Cain**") — **يَخلُقُ مشكلةً ، يَتسببُ في اضطرابٍ**

play cat and mouse with *someone*		يَكرُّ ويَفرُّ معه ، يَهزمُه (عن طريقِ إيقاعِه في شركٍ أو دفعِه لارتكابِ خطأٍ)
play ducks and drakes	*(S)*	يَتصرّفُ بطَيْشٍ أو بتهوّرٍ <> يُبدّدُ ثروتَه
play fast and loose		يُعارِضُ نفسَه <> لا يُعتَمَدُ عليه (لعدمِ اتزانِه)
play it by ear		يَتعاملُ مع أمرٍ بشكلٍ ارتجاليٍّ أو بدونِ ترتيبٍ (معنى مجازي) <> يَعزفُ الموسيقى اعتماداً على السمعِ وليس على النوتةِ الموسيقيةِ (معنى حرفي)
play *one's* **ace**		يَستعملُ أبرعَ حِيَلِه ، يُلقي بأشدِّ ثِقَلِه
play possum		لا يُحرّكُ ساكناً ، يَجمدُ في مكانِه ، يَتظاهرُ بالنومِ أو الموتِ (حيلةٌ تستخدمها بعضُ الحيواناتِ كوسيلةٍ دفاعيةٍ)
play second fiddle to *someone*		يَكونُ تابعاً له ، يَسيرُ في ظلّه
play silly buggers	*(Br)* *(S)*	يَلْعَبُ بخُشونةٍ متظاهراً بالغباءِ (كما لو كانت خشونتُه عن غيرِ قصدٍ)
play the devil with *someone*		يُغْضِبُه ، يُفْسِدُه

play to the (gallery / grandstand) (see "**preach to the choir**") — **يَعملُ لإرضاءِ مؤيّدِيه ، يَطلبُ استحسانَ جمهورِه**

play with loaded dice — **يَقومُ بعملٍ في ظروفٍ مناوئةٍ ، يَلعبُ وجميعُ الظروفِ ضدَّه**

plough (a lonely / *one's* own) furrow — **يَعملُ منفرداً ، يبذلُ مجهوداً فردياً** (عكس الجماعي)

plug *one's* parking meter (see "**feed one's parking meter**") — **يُضيفُ رصيداً لعدَّاد الانتظار لإطالة فترة انتظار سيارتِه** (عادةً بعد انتهاءِ الفترةِ المسموحِ بها)

pocket an insult — **يتجرّعُ الإهانةَ بلا امتعاضٍ أو استياءٍ**

poetic justice — **عدالةٌ مُطْلَقَةٌ** (لا محلَّ لها في الواقعِ)

point blank — **كادَ أن يصلَ هدفه ، قابَ قوسين أو أدنى**

poles apart (see "**split down the middle**") — **على طرفي نقيضٍ ، مُتباعدان بُعدَ المَشرقِ عن المَغربِ**

pond life *(Br)* — **شخصٌ خسيسٌ ، إمرؤٌ دنيءٌ**

pony and trap *(Br)* *(S)* — **حُثالةٌ ، غُثاءٌ**

<u>pop for</u> <u>*something*</u> ***(I will pop for the tickets.)***	*(S)*	**يَدفعُ ثَمَنَه**
<u>pop</u> <u>*one's*</u> **<u>clogs</u>**	*(S)*	**يَموتُ**
<u>pop</u> <u>*one's*</u> **<u>cork</u> (see "<u>go bananas</u>" & "<u>go bonkers</u>")**	*(S)*	**يَجنُ جنونُه** (من الغضبِ)
<u>pop the question</u>		**يَطْلُبُ للزواجِ ، يَخطُبُ امرأةً بطلبِ يَدِها**
<u>pork barrel</u> (see "<u>earmark</u>")	*(Am)*	**مُخَصَّصٌ حُكوميٌ** (تَخصيصُ الحكومةِ لمالٍ يُنفقُ على مشاريعٍ غير ضروريةٍ فقط لاكتسابِ شعبيةٍ أو لاجتذابِ أصواتِ الناخبين)
<u>pork pies</u>	*(Br)* *(S)*	**أكاذيبٌ**
<u>potter's field</u>		**مكانُ دَفنِ المُعْدَمين ، مَدْفَنُ المُشَرَّدين**
<u>pound of flesh</u>		**دَيْنٌ متأخرٌ أو مُسْتَحَقُ السدادِ ويُطالبُ به صاحبُه بلا هوادةٍ**
<u>(pour / throw) cold water on</u> <u>*something*</u>		**يُثَبِّطُ العزم عن فِعْلْ شيءٍ ما**
<u>pour oil on troubled waters</u> (see "<u>fish in troubled waters</u>")		**يُلطِّفُ من وقعِ محنةٍ ، يُخَفِّفُ من وطأةِ مشكلةٍ**

preach to the choir (see "**play to the (gallery / grandstand)**")		**يُخَاطِبُ جمهورَه، يَتحدثُ إلى مؤيدِيه** (عادةً بما يُرضيهم)
precious (few / little)		**القليلُ جداً ، الشحيحُ جداً**
pretty penny		**مقدارٌ لا بأس به من المالِ**
prick up *one's* **ears**		**يُنْصِتُ جيداً ، يُصْغِي بإمعانٍ**
prime time		**وقتٌ مثاليٌ ، وقتُ الذروةِ** (في الدعايةِ والإعلانِ)
primrose path		**التمتعُ بكل ملذاتِ الحياةِ**
pros and cons		**الإيجابياتُ والسلبياتُ ، ما له وما عليه**
pull a boner	*(S)*	**يَرتكبُ خطأً يَنُمُّ عن غبائِه أو سذاجتِه**
pull a fast one	*(S)*	**يَقومُ بخدعةٍ ، يَقومُ بعمليةِ احتيالٍ ناجحة**
pull an all-nighter ***(The only way to arrive on time there is to pull an all-nighter driving.)***	*(Am)*	**يَسهرُ لَيلَه ، يَصلُ الليلَ بالنهارِ** (في المذاكرة أو اللهو أو السفر على سبيل المثال)

يَتمالكُ أعصابَه ، يَضبطُ نفسَه <>

pull *one's* **punches**

يَنأى عن استخدامِ كلِّ ما لديه (من قوةٍ أو نفوذٍ)

pull out all the stops (see "**not to leave a stone unturned**")

لا يَألو جهداً ، يَدعمُ بكلِّ ما يَملكُ

pull *someone's* **leg**

يُعاكسُه أو يُشاكسُه بحديثٍ كاذبٍ

pull (strings / wires)

يُناوِرُ ، يَلعبُ على وتر (عادةً لتحصيلِ منفعةٍ أو مكسبٍ)

pull the pin

يُفارقُ ، يَتخلى عن ، يَتركُ

pull the plug on *something* ***(After ten years of supporting the project, the government pulled the plug on it, citing its cost.)***

يَتوقفُ عن دعمِه أو تأييدِه ، يَمتنعُ عن العملِ فيه

pull the rug out (from / from under) *someone* ***(It is unfortunate that my best friend pulled the rug out (from / from under) me when I needed him.)***

يَتخلى عنه ، يَمتنعُ عن مساندتِه

pull the wool over *someone's* **eyes**

يَحتالُ عليه ، يَخدعُه

pull up *one's* **socks** ***(He will need to pull up his socks, if he wants to pass the math exam.)*** *(S)*

يَتحسنُ ، يُحَسِّنُ من أداءِه

pull up stakes ***(Tim was unhappy with his life in our little town. At the end, he decided to pull up stakes.)***		يَرحلُ ، يُهاجِرُ لمكانٍ آخرٍ
punch above *one's* weight		منافسةُ من يَفوقُه في القدراتِ ، منازلةُ من يَفوقُه في الإمكانياتِ
punch drunk		مترنحٌ كالسكرانِ (تستخدم عادةً لوَصف مُلاكِمٍ تعرّضَ للكماتٍ في رأسِه)
push the boat out		يُنْفِقُ بسخاءٍ غيرِ معتادٍ (عادةً في الأعيادِ أو المناسباتِ الخاصّةِ)
push the envelope		يَتخطى الحدودَ المُتعَارفَ عليها <> يَكونُ خَلَّاقاً
pushing up the daisies (see "**sleep with the fishes**")		ماتَ ، قضى نَحبَه
(put / set) *someone's* **mind at (ease / rest)**		يُطمئنُه ، يُرِيحُ بالَه
(put / stick) in *someone's* **oar**		يَتدخّلُ فيما لا يُعنيه ، يَقتحمُ خصوصياتِه ، يُدلي برأيٍ لم يُطْلَبْ منه
(put / throw) a monkey wrench into *something* (see "**(put / throw) a spanner in the works**")	*(Am)*	يُفْسِدُهُ أو يُعْطِبُهُ تماماً (عن عمدٍ)

(put / throw) a spanner in the works (see "**(put / throw) a monkey wrench into *something***")	*(Br)*	يُفْسِدُهُ أو يُعْطِبُهُ تماماً (عن عمدٍ)
put a damper on *something*		يُقْعِدُ عنه ، يَحُدُّ من الشغفِ به
put a rocket under *someone*	*(Au) & (Br)*	يَحِثُّه على الاستعجالِ ، يَستعجِلُه
put a sock in it! (see "**pipe down!**")	*(S)*	الزَمْ الهدوءَ! ، كن هادئاً!
put a spoke in *one's* wheel		يَعوقُ خطّتَه ، يُوقفُ تقدّمَه ويُعرقلُه
put all *one's* eggs in one basket		يُغامرُ بكلِ شيءٍ مرةً واحدةً
put down roots		يُمَكِّنُ أو يُثَبِّتُ نفسَه (في مكانٍ أو وظيفةٍ)
put heads together		يُفكّرون سوياً ، يُخطّطون معاً
put in a good word for *someone*		يُزَكّيه ، يُوصي به
put in *one's* best licks		يَجري بأقصى سرعتِه ، يَعدو بكلِّ طاقتِه
put money into *something*		يَستثمرُ فيه

put money on ***something*** (betting on sports)

يُراهنُ عليه (المراهناتُ الرياضيةُ)

put on airs

يَتظاهرُ بكونِه أفضلُ مما هو عليه في الواقع ، يَدّعي تميُّزاً عن غيرِ حقٍ

put on *one's* **thinking cap**

يَأخذُ وقتَه ليُمعنَ التفكيرِ

put on the (dog / ritz) *(S)*

يَلبسُ أزهى ثيابِه ، يَرتدي أبهى حُلَّةٍ ، يَتزيّنُ لأقصى درجةٍ

put on the wooden overcoat *(S)*

يَموتُ

put one foot in front of the other
(As far as you put one foot in front of the other, everything else will take care of itself.) & (I was so tired that I could hardly put one foot in front of the other.)

يَتصرفُ بتعقلٍ ، يُؤدي عملاً بشكلٍ سليمٍ (معنى مجازي) <> **يَسيرُ بتؤدةٍ ، يَسيرُ بتروٍّ** (معنى حرفي)

put *one* **through a course of**

يُعدُّه على أعلى درجةٍ ، يُدرّبُه على أعلى كفاءةٍ <> يَختبرُه اختباراً قاسياً

put *one's* **hand to the plough**

يَشرعُ في عملٍ ، يَبدأُ مهمةً

put *one's* **best foot forward**

يَبدأُ عملاً بكلِ نشاطٍ ، يَشرعُ في مُهمّةٍ بكلِّ هِمَّةٍ <> يُحاولُ تركَ أفضلَ انطباعٍ

put *one's* **finger on** *someone or something*	**يَتَذَكَّرُه** (عادةً بمجهودٍ وبعد مضيِّ بعضِ الوقتِ)
put *one's* **foot down**	**يَأخذُ موقفاً متشدّداً ، يَتمسّكُ بموقفِه**
put *one's* **foot in it**	**يَنزَلِقُ بلسانِه** (تستخدم عادةً لوَصف قولِ شيءٍ عن غيرِ قصدٍ يُفضي إلى أزمةٍ كبيرةٍ أو حَرَجٍ اجتماعيٍّ)
put *one's* **foot in** *one's* **mouth**	**يَتحدثُ حديثاً غيرَ لَبِقٍ ، يُلقي الكلامَ على عواهنِه**
put *one's* **(heart / soul) into** *something*	**يُخْلِصُ فيه ، يَتفاني في تأديتِه**
put *one's* **mind to** *something*	**يُركزُ كلَّ فِكْرِهِ فيه**
put *one's* **nose out of joint**	**يَجْرَحُ مشاعرَه <> يُفْسِدُ خطتَه**
put *one's* **shoulder to the wheel**	**يُركزُ كلَّ جهدِه ، يَبذلُ غايةَ ما يَستطيعُ**
put pen to paper	**يَبدأُ في الكتابةِ** (تستخدم عادةً لوَصف بدايةِ تأليفِ كتابٍ أو عملٍ أدبيٍّ مكتوبٍ)
put *someone* **at ease**	**يُريحُه ، يُهدئُ من روعِه**

put *someone* **in mind of** *someone* ***(Your quiet manners put me in mind of your uncle.)***		**يُذَكِّرُهُ بأحدِ الأشخاصِ**
put *someone* **off** *one's* **stride**		**يُعطّلُه ، يَعوقُ مسيرتَه** (عادةً بشكلٍ مؤقتٍ)
put *someone* **through** *one's* **paces**		**يَختبرُ قُدراتِه ، يَعْرُكُه**
put *someone* **to bed with a shovel**	*(S)*	**يَقتلُه ويَدفنُه**
put the arm on *someone* ***(John has been putting the arm on Jane to get her to go out with him.)***		**يَضْغَطُ عليه ، يُمارسُ الضغطَ عليه**
put the (bite / touch) on *someone* ***(I am broke. I will try to put the (bite / touch) on John for $100.)*** **(see "shake down** *someone***")**	*(S)*	**يُحاولُ أن يأخذَ منه مالاً** (عادةً مع ممارسةِ بعضِ الضغطِ)
put the cart before the horse		**يعكسُ أولويات الأمور ، يُقَدِّمُ اللاحقَ على السابقِ**
put the kibosh on		**يُنْهِي ، يُوقِفُ <> يتخلصُ من**
put the (make / moves / hard word) on *someone*	*(S)*	**يُحاولُ الإيقاعَ بها في حبائلِه**

put the mockers on *someone*	*(S)*	يجلِبُ له الحظَّ السيئَ أو النحسَ
put the pedal to the metal		يَنطلقُ بأقصى سرعةٍ <> يَبذلُ قصارى جهدِه
put the screws (on / to) *someone*		يُمارسُ الضغطَ عليه بشدةٍ ، يُرهبُه
put the skids (on / under) *something* (see "**blow the whistle on** *something*")	*(S)*	يُوقِفُهُ ، يُنْهيه <> يُفْشِلُه ، يُؤدي لِفَشلِه
put to sleep		يُخَدِّرُه ، يُعطيه مُخدراً <> يُتْعِبُه ، يستنزفُ قواه <> يقتلُ شخصاً أو حيواناً
put two and two together		يَستخلصُ النتيجةَ الصحيحةَ من القرائنِ المناسِبةِ
put up *one's* **dukes**	*(S)*	يَضمُ قبضتا يديه استعداداً للعراكِ
put up or shut up! (see "**fish or cut bait!**")	*(S)*	إما أن تؤدّي العملَ على ما يُرام أو تتركهُ لغيرك!
pyrrhic victory (see "**cadmean victory**")		انتصارٌ بيروسيٌ ، انتصارٌ بثمنٍ فادحٍ

Q

quality time	**وقتٌ ثمينٌ** (عادةً وقتٌ محدودٌ يَقضيه الشخصُ مع أسرتِه ومعارفِه)
quarrel with ***one's*** **bread and butter**	**يَتبرّمُ من حياتِه ، يَتذمّرُ من وضعِه**
quid pro quo **(Latin) (see "tit for tat")**	**هذه بتلكَ ، يُعطِي شيئاً مقابلُ شيءٍ يَأخذُه** (تستخدم عادةً لوَصف حالة تبادل المصالح أو المنافع)
quite a (bit / few / lot) of	**الكثيرُ من**

R

rabbit hole ***(Farmers found themselves falling down a rabbit hole in their efforts to combat the exotic pest.)***	**وَضعٌ شاذٌ , مَوقفٌ صَعبٌ**
rack and ruin	**يُدمّرُ تدميراً شاملاً ، لا يُبقي ولا يَذرُ**
rag-tag and bobtail (see "**riff-raff**")	**قاعُ المجتمعِ ، ناسٌ يعيشون في الحضيضِ <> عوامُّ الناسِ**
rain (cats and dogs / stair rods)	**تُمطِرُ بغزارةٍ ، يَنهمِرُ المطرُ كالسيْلِ**
(raise / show / wave) a white flag	**يُعلنُ استسلامَه ، يَرفعُ الرايةَ البيضاءَ**
raise Cain (see "**(play / raise) hob**")	**يَخلُقُ مشكلةً ، يَتسببُ في اضطرابٍ**
raise eyebrows	**يُسبّبُ صدمةً للناسِ ، يُثيرُ الاستهجانَ**
rank and file	**عمومُ أفرادِ الفريقِ أو المجموعةِ** (عكس الرؤساء أو القادة)
raspberry tart (see "**blow a raspberry**" & "**Bronx cheer**")	**ضُراطٌ** (إحداثُ صوتِ الضُراطِ بالفمِ) *(V)*

rat on *someone*

يَنمُّ عنه ، يَشِي به (عادةً لجهةٍ عليا أو شخصٍ مسؤولٍ)

raw deal

الجانبُ الخاسرُ في صفقةٍ <> ظلم بَيّن

raze to the ground

يُسَوّيه بالأرض ، يَخْسِفُه خسفاً

read between the lines

يَقرأُ ما بين السطورِ ، يَستنبطُ المَعنَى بدلالةِ الكلماتِ وليس بمعانيها الحَرْفيةِ

read *someone* **the riot act** ***(The manager read me the riot act for coming in late.)***

يُعنّفُه بشدةٍ ، يَزجرُه زجراً شديداً

read *someone's* **mind**

يُحدسُ بما يفكرُ فيه ، يَقرأُ أفكارَه

reckon without *one's* **host**

يُغفلُ حقائقاً مهمةً عند اتخاذِ قرارِه

red herring

يُضَلِلُ عن قصدٍ ، يَخْدَعُ عمداً <> يُشَتّتُ الانتباهَ عن الأمرِ أو الموضوعِ الأساسي

red in tooth and claw ***(The jungle is red in tooth and claw.)***

وَحْشِيَّةٌ ، غابة يأكلُ فيها القويُ الضعيفَ

red rag to a bull

استفزازٌ عن عمدٍ (لدفع الطرف الآخر للقيام بعملٍ معينٍ)

red tape		المراعاةُ الدقيقةُ للتعليماتِ الحكوميةِ
red-letter day		يومٌ تذكاريٌ ، يومٌ مهمٌ ذو دلالةٍ
responsible party		الطَرَفُ المسؤولُ ، الشخصُ الذي سيتحمّلُ التكاليفَ
rest on *one's* **laurels**		يَعيشُ على أمجادِ الماضي
return to *one's* **muttons**		يَعودُ للموضوعِ الأصليِّ للنقاشِ (بعدَ أن تطرّقَ لأمورٍ فرعيةٍ)
riddle wrapped up in an enigma		لُغْزٌ شديدُ التعقيدِ ، معضلةٌ تستعصي على الحلِ
ride for a fall		يَركبُ الأهوالَ أو المخاطرَ <> يَخسَرُ مُتعمداً (في سباقٍ أو منافسةٍ)
ride herd on *someone or something*		يُبقيه تحت ملاحظتِه ، يُبقيه تحت سيطرتِه
ride high		يَنجحُ ، يَفلحُ ، يَتميزُ
ride shanks' (mare / pony)	*(S)*	يَتمشى ، يَمشي على قدميه ، يَترَجَّلُ (على عكس التنقلِ بأيِّ وسيلةِ مواصلاتٍ)

ride shotgun	يُرافق شخصاً أثناءَ الانتقالِ بغرضِ الحمايةِ ، يَجلسُ بالصفِ الأماميّ بسيارةٍ أو حافلةٍ
ride the goat	يَشتركُ في جمعيةٍ أَخَوِيَّةٍ ، يَلتحقُ بمنظمةٍ (عادةً تَكونُ سريةً)
ride the gravy train	يَكسبُ مَكسباً سَخياً مقابل عملٍ بسيطٍ
riff-raff (see "**rag-tag and bobtail**")	قاعُ المجتمعِ ، ناسٌ يعيشون في الحضيضِ <> عوامُّ الناسِ
rift within the lute	شائبةٌ صغيرةٌ ، عيبٌ خفيٌّ (ولكنها تَتسببُ في لطخةِ عارٍ أو فضيحةٍ ضخمةٍ)
right about face	تغييرٌ كليٌ في وجهةِ النظرِ ، تغييرٌ شاملٌ في السلوكِ (معنى مجازي) <> أمرٌ عسكريٌ بالنظرِ في الاتجاهِ المعاكسِ (معنى حرفي)
ring a bell	يُذَكِّرُ بشيءٍ ، يُعيدُ الذاكرةَ إليه
ring down the curtain on *someone or something*	يَضَعُ حداً له ، يُنهيه
ring fencing	تخصيصُ مالٍ لغرضٍ محددٍ (و لا لأي شيءٍ سواه بغضِ النظرِ عن أي ظروفٍ)

<u>ring the changes</u> — **يَأخذُ بطرقٍ بديلةٍ ، يَتَّبِعُ وسائلاً أخرى**

<u>rise and shine!</u> — **انْهَضْ** (من سريرك) **وتَجَهَّزْ للعملِ!**

<u>road rage</u> — **غَضْبَةُ الطريقِ** (غَضَبٌ أو عُنْفٌ يَجتاحُ قائدي السياراتِ من سلوكِ المارةِ أو قائدي السياراتِ الأخرى)

<u>rock the boat</u> — **يُسببُ مشكلةً حيث لا يُوجدُ أيُّ مجالٍ للمشاكلِ** (معنى مجازي) <> **يَهزُّ القاربَ** (معنى حرفي)

<u>roll out the red carpet for *someone*</u> — **يُعامِلُه معاملةَ الملوكِ ، يَستقبلُه بحفاوةٍ شديدةٍ**

<u>roll up *one's* sleeves</u> — **يُشمّرُ عن ساعديه ، يَشرَعُ بالعملِ**

<u>root and branch</u> ***(The kid destroyed his toy root and branch.)*** — **كُلّيةً ، بالكاملِ**

<u>root hog or die</u> — **إما أن يَجْتَهِدَ في عملِه وإما أن يَلقى ما لا تُحمدُ عقباهُ**

<u>rope of sand</u> ***(There is nothing to be said about the unity between the two parties. They are bound by a rope of sand.)*** — **شيءٌ غير ماديٍّ <> شيءٌ لا يُسمنُ ولا يُغني من جوعٍ**

round robin		**بيانٌ جماعيٌّ ، عريضةٌ حلقيَّةٌ** (تستخدم عادةً لوَصف بيانٍ يُوقعُه عددٌ من الأفرادِ بحيث لا يُعْلَمُ من وقَّعَها أولاً تجنباً للعقابِ) <> **مباراةٌ مستديرةٌ** (يُنازلُ كلُّ لاعبٍ فيها جميعَ اللاعبين الآخرين)
round the bend	*(S)*	**مُختلٌّ ، فَقدَ صوابَه** (نتيجةً لشربِ الخمرِ أو اضطرابٍ عصبيٍّ)
row *someone* up Salt river	*(Am)*	**يَقهرُه ، يَهزمُه شَرَّ هزيمةٍ** (عادةً تُستخدمُ في مجال التنافسِ السياسيِّ)
rub (elbows / shoulders) with *someone*		**يَرتبطُ به ، يَعملُ معه عن قُربٍ** (تستخدم عادةً لوَصف العملِ سوياً في نفسِ المكانِ)
rub it (in / into) *someone's* face ***(We all know that he didn't do well in his last exam. Please don't rub it (in / into) his face when he comes tonight.)***		**يَسخرُ منه بتذكيره بما يُشِينُه**
rub salt in a wound		**يَنكأُ جرحاً لم يندملْ**
rubber check (see "**bad paper**")	*(S)*	**شيكٌ رديءٌ ، شيكٌ بلا رصيدٍ**
rug rat	*(S)*	**طِفْلٌ صغيرٌ** (عادةً لم يَصلُ سِنَّ المدرسةِ)

rule of thumb — مبدأٌ أساسيٌ مبنيٌ على التجربةِ ، قاعدةٌ أصيلةٌ جُرِّبَت ونَجَحَت

rule *someone or something* **out** — يُلغيه ، يَمنعُه <> لا يَأخذُه في الحسبانِ أو الاعتبارِ

rule the roost (see "**wear the (pants / trousers)**" & "**cock of the walk**") — يَكونُ الآمرَ الناهي ، يصبحُ الحاكمَ بأمرِه (عادةً في محيط المنزل أو الأسرة)

rum do *(S)* — عَمَلٌ مُشِينٌ أو مُستَهْجَنٌ

run across *someone or something* — يَلقاه صُدفةً ، يَعثرُ عليه بمحضِ الصُدفةِ

run against *someone* — يَلْقَاه صُدفةً ، يُصادفُه <> يُعارضُه ، يُناوئُه

run amok — يَجري كالمسعورِ

run for it *(S)* — يَلوذُ بالفرار ، يَفِرُّ بجِلدِه

run of the mill — مُعتادٌ ، اعتياديٌ ، غَيْرُ متميزٍ

run out of steam — تَنْضُبُ طاقتُه ، تَخُورُ قواه

run rings around *someone* — يَتَفَوَّقُ عليه ، يَسُودُه ، يَغلبُه

run *something* into the ground يُفْرِطُ في عملِه ، يُفْسِدُ أمراً بالتَزيُّدِ فيه

run the gauntlet يَتعرضُ لهجمةٍ شديدةٍ ، يَتعرضُ لحملةٍ شرسةٍ

S

sacred cow	**أمرٌ لا يُمكنُ المساسَ به ، شيءٌ فوقَ النَقدِ** (تشبيهاً بالبقرةِ المقدسةِ)
sail under false colors	**يَتصرفُ بنفاقٍ ، يُخادِعُ ، يَغِشُّ**
salad days	**أيامُ الطَيشِ / أيامُ الشبابِ**
save face (see "**lose face**")	**يَحفظُ ماءَ وجهِه**
save *one's* **bacon** *(S)*	**يَنجُو من مَهْلَكَةٍ ، لا يَلْحَقُه ضررٌ**
saved by the bell	**نجا في آخرِ لحظةٍ** (عادةً عن طريقِ تدخلِ طرفٍ ثالثٍ أو بتغيرِ الظروفِ)
savoir faire (French)	**القدرةُ الغريزيةُ على فَهْمِ الأمور وكيفيةِ معالجتِها**
scared to death	**يَموتُ في جلدِه من الخوفِ ، مَرعوبٌ جداً**
(scrape / scrape up) *someone or something* ***(I was able to (scrape / scrape up) someone for the new job.) & (I was able to (scrape / scrape up) enough money to pay the rent.)***	**يَجِدُه ، يَعْثُرُ عليه** (عادةً بعد عناءٍ أو مجهودٍ شديدٍ)

scrape along (on / with) *something* ***(Do you think that you can scrape along (on / with) $500 a month?)*** — **يَتَعَيَّشُ على ، يَعِيشُ بـ**

scrape the bottom of the barrel — **يَخْتَارُ مما تبقى** (عادةً النفاياتُ أو ما زَهِدَ فيه الآخرون)

(screw / screw up) *one's* **courage to the sticking place** — **يكونُ ثابتاً ، يَعقدُ عزمَه**

scrimp and save ***(My parents scrimped and saved in order to be able to send me to college.)*** — **يُضَيّق على نفسِه في العيشِ كي يَدّخِرَ** (عادةً لفعلٍ أو لشراءِ شيءٍ)

sea change — **تغييرٌ جذريٌ أو كليٌّ**

second guess — **يَنتَقِدُ أمراً بعد وقوعِه ، يُقَدِّمُ نصيحةً بعد فواتِ الأوانِ**

second nature — **طَبْعٌ تَأصّلَ بكثرةِ الممارسةِ**

see no further than (*one's*** / the end of** ***one's*****) nose** — **يَكونُ قصيرَ النظرِ ، يَكونُ ضيقَ الأفقِ**

see red *(S)* — **يَغضَبُ ، يَفقدُ أعصابَه**

see through a brick wall — **يَكونُ ذا بَصيرةٍ نافذةٍ ، تَخترقُ رؤيتُه الحُجُبَ**

see which way the cat jumps		**يَرى ما ستسفِرُ عنه الأيام**
sell *someone* **down the river**	*(Am)*	**يَخدعُه ، يَغدرُ به**
send *someone* **packing**		**يُبْعِدُهُ مصحوباً بالعَارِ ، يَنفيه بشكلٍ مُهينٍ**
sent to Coventry	*(Br)*	**يَتِمُّ تجاهلُه** (كما لو لم يكنْ موجوداً)
separate the sheep from the goats		**يَميزُ الخبيثَ من الطيبِ ، يَفْصِلُ الصالحَ عن الطالحِ** (عادةً تقالُ بشكلٍ معكوسٍ في اللغةِ العربيةِ)
serve *someone* **right** ***(Give him a time out. It will serve him right for what he did.)***		**يَستحقُه** (عادةً عِقابٌ)
serve time	*(S)*	**يَقضي فترةَ عقوبةٍ في السجنِ**
set *one's* **cap (at / to)** *someone*		**تُحاولُ لَفْتَ نظرَه أو انتباهَه** (تستخدم عادةً لوَصف محاولة امرأة جذب انتباه رجلٍ بارتداء أبهى ثيابِها)
set *one's* **teeth on edge**		**يُثيرُ نُفورَه ، يُنَفِّرُه**
set the Thames on fire	*(Br)*	**يَصْنَعُ المعجزات ، يُبْدِعُ**

set together by the ears (see "(**come / fall / go) together by the ears**")		يُوقعُ بينهم الخلافَ ، يَنشرُ بينهم البغضاءَ
shaggy dog story (see "**tall story**" , "**cock and bull story**")	*(S)*	قصةٌ مخْتَلَقَةٌ ، حكايةٌ يَستحيلُ تصديقُها
shake a leg	*(S)*	يَنهضْ من فراشِه ، يَقومُ من نومِه
shake a stick at *someone*		يُرهبُه ، يُهدّدُه (معنى مجازي) <> يُلوّحُ له بعصاه تهديداً (معنى حرفي)
shake down *someone* (see "**put the (bite / touch) on** *someone*")		يبتزّهُ بالتهديد <> يُمارسُ ضغطاً على شخصٍ (بِنِيَّةِ دفعِه لتسليف بعضِ المالِ)
share and share alike		يُوَزِّعُ الحصصَ بالتساوي بين الجميعِ ، يَعْدِلُ في قسمتِه
(shed / cry) crocodile tears		يَبكي دموعاً كاذبةً ، يَتظاهرُ بالبكاءِ ، يذرف دموع التماسيح
shilly-shally	*(S)*	يَرتجفُ ويَعْجَزُ عن التفكير (من شدةِ رُعْبِه)
shit for brains	*(V)*	غبيٌ غباءً مُحْكَماً
shoot the bull (see "**bull session**")		يَتناقشُ مناقشةً مفتوحةً ، يُدلي برأيه بحرّيةٍ (عادةً بين الرجالِ)

short shrift ***(This inarticulate memo will get short shrift from the boss.)***		**قِلةُ اهتمامٍ ، عَدمُ اعتدادٍ**
shot across the bows		**تحذيرٌ <> طَلْقَةُ تحذيرٍ**
shot in the arm		**مُحَفِّزٌ ، مُنَشِّطٌ** (معنى مجازي) <> **حقنةٌ في الذراع** (معنى حرفي)
shot in the dark		**تخمينٌ أعمى أو بدون أي علمٍ <> عملٌ فرصةُ نجاحِه ضعيفةٌ**
shot in the locker		**احتياطيٌّ أو مخزونٌ للطوارئ** (عادةً يقصد به مالٌ) ، **الملاذُ الأخيرُ**
shoulder to cry on		**شخصٌ حَنونٌ** (يُلتَجَأُ إليه لبثِّ الهموم والشكايةِ)
shoulder to shoulder		**كتفاً بكتفٍ ، بتكاتفٍ ، جنباً إلى جنبٍ**
show *one's* **(mettle / true colors)** **(see "test** *one's* **mettle")**		**يُظهِرُ معدنَه ، يُظهِرُ شخصيتَه على حقيقتِها**
show *someone* **around**		**يُعطيه جولةً قصيرةً للتعرّفِ على المكانِ**
show *someone* **the door**		**يَطلبُ منه مغادرةَ المكانِ** (عادةً بطريقةٍ غيرِ وديةٍ)
show the white feather	*(Br)*	**يَتصرّفُ بجُبْنٍ ، يُظْهِرُ خَوَارَ عزيمته**

shuffle off this mortal coil	*(Br)*	**يَموتُ**
shy away from *someone or something*		**يَتحاشَاه ، يَتجنبُه**
Siamese twins (after Chang and Eng Bunker)		**توأمان مُلتصقان أو مُلتحمان جسدياً** (نِسبةً إلى تشانج وإِنْج بَنْكَر من بلاد سيام "تايلاند" وهما أول توأمان مُلتصقان تمت تسميتُهما واشتهرا في الغَربِ)
sicker than a dog (see "**as sick as a dog**")		**مريضٌ جداً ، عليلٌ جداً**
sick-out (see "**blue flu**")		**غيابٌ جماعيٌّ بحجةِ المرضِ** (عادةً يتمُّ ترتيبُه مُسبقاً)
sight for sore eyes		**مَنْظَرٌ مُبهجٌ للعينِ ، شخصٌ يَسُرُّ النظرَ**
silly season (media)		**الموسمُ السخيفُ** (شهرا أغسطس (آب) وسبتمبر (أيلول) واللذان تنعدمُ فيهما الأخبارُ المثيرةُ - مصطلحٌ خاصٌ بوسائلِ الإعلامِ)
silver bullet		**حلٌ فعالٌ أو قاطعٌ أو نهائيٌ لمشكلةٍ**
sing (a different / another) tune		**يَأخذُ تَوَجُّهاً مغايراً ، يَتبنى سلوكاً مُختلفاً <> يُغَيِّرُ موضوعَ النقاشِ**

sink or swim		إما أن يَنجحَ وإما أن يَفشلَ
(sit / stand) like a Stoughton bottle	*(Br)*	يَتسمرُ في مكانِه ببلادةٍ ، يَتحجرُ ولا يُبدي أيَّ مشاعرَ
sit above the salt (see "**sit below the salt**")	*(Br)*	يَكونُ من ذوي الشرفِ الرفيع ، يَكونُ من عُليةِ القومِ
sit below the salt (see "**sit above the salt**")	*(Br)*	يَكونُ من عامةِ الناسِ ، يَكونُ فرداً عادياً
six feet under (see "**deep-six**")		ماتَ وانتهَى أمرُه ، مَفروغٌ منه
six of one and half a dozen of the other		الأمرانُ سِيَّانٌ
skate on thin ice (see "**walk on (egg shells / eggs)**")		يَسيرُ على حَافةِ الهَاوية ، يَكونُ في وَضعٍ شديدِ الخُطورةِ
skeleton at the feast		شوكةٌ في الحلقِ ، حدثٌ حزينٌ يُطفِئُ بهجةَ احتفالٍ
skeleton in the (closet / cupboard)		سرٌ دفينٌ يَفْضَحُ صاحبَه إذا انكشفَ ، سِجلٌ مُسِيءٌ
(skin / strip) search		تفتيشٌ كليٌّ على اللحمِ أو بعد التعريةِ
skin a cat *(There is more than one way to skin a cat.)*		يَقومُ بِعملٍ ، يُؤدي مُهمةً (بطريقةٍ ما أو بشكلٍ محددٍ)

skin the cat	*(Am)*	**يَتعلقُ بيديه في غصنِ شجرةٍ ثم يَرفعُ رِجليه خلالهما إلى وضعِ الجلوسِ على الغصنِ** (لُعبة قديمة يمارسها الأطفال)
slap on the wrist		**عقوبةٌ بسيطةٌ**
slate club (see "**whip round**")		**جَمْعِيَّةٌ** (دخولُ عدد من الأشخاصِ في اتفاقٍ حيثُ يدفعُ كلٌ منهم قدراً ثابتاً من المالِ كلَ شهرٍ لفترةٍ محددةٍ ويَحصلُ كلٌ منهم على مُجملِ المبلغ في أحدِ الأشهر)
sledgehammer to crack a nut		**استخدامٌ مُفْرَطٌ للقوة للتغلب على أمرٍ بسيطٍ**
sleep like a (baby / log)		**ينامُ كالطفلِ الرضيعِ ، يَستغرقُ في النومِ**
sleep like a top		**يَنامُ في سَكِينةٍ ، سَاجٌ تماماً**
sleep on a clothesline		**يَستغرقُ في النوم ، يَغرقُ في سُباتٍ عميقٍ**
sleep tight!		**أتمنى لك نوماً هنيئاً!**
sleep with the fishes (see "**pushing up the daisies**")	*(S)*	**ماتَ ، قضى نحبَه**

sling *one's* hook	*(S)*	**يُغادرُ ، يَرحلُ**
sling your hook!		**ارحلْ!**
slip of the tongue		**زلّةُ لسانٍ**
slough *something* off		**يُغْضِي الطرفَ عن** (عادةً إساءةٌ أو إهانةٌ - معنى مجازي) <> **يُزيلُ بالحَكِّ** ، **يَتخلصُ من** (عادةً شيءٌ كريهٌ أو مؤذٍ - معنى حرفي)
slumber party		**حفلةٌ ليليةٌ** (قضاءُ بعضِ الفتيات ليلتهن لدى صديقةٍ في لعبٍ ومرحٍ عادةً بملابسِ النومِ)
slush fund		**مالٌ يُرْصَدُ لشراءِ الأصواتِ أو للرشوةِ** (في السياسة والحملات الانتخابية)
small fry	*(S)*	**أطفالٌ صغارٌ** <> **صغيرٌ**
small potatoes	*(S)*	**مالٌ قليلٌ** <> **شخصٌ تافهٌ لا يُعتدُّ به** <> **كلامٌ لا يُعْتَدُّ به**
smart casual		**غيرُ رسميٍ وأنيقٌ** (تستخدم عادةً لوَصف الملابسِ)
smarty-pants		**شخصٌ مغرورٌ** (عادةً بلا داعٍ)

smell a rat		**يَشُكُ أن أمراً ما غيرَ صحيحٍ ، يَشُكُ أن شخصاً ما قام بعملٍ غيرِ صحيحٍ**
smoke and mirrors		**خِداعٌ واحتيالٌ** (عادةً تُستخدمُ في مجالِ السياسةِ)
smoke screen		**قَولٌ أو فِعلٌ لِصرفِ الانتباهِ عن أَمرٍ أو إخفائِه** (معنى مجازي) <> **سِتار دُخَّاني لحجب أنشطةٍ عسكريةٍ** (معنى حرفي)
snail's pace		**بطءٌ شديدٌ ، سرعةُ السلحفاةِ**
snake in the grass		**شخصٌ مخادعٌ ، إمروٌ خائنٌ غادرٌ** (تستخدم عادةً لوَصف شخصٍ يَدّعي الصداقةَ ويَغدرُ بصديقِه)
soft soap	*(S)*	**يَتملقُ ، يُرائي**
song and dance		**بيانٌ محبوكٌ ، قصةٌ مُلَفَّقَةٌ** (تستخدم عادةً لوَصف إقحامِ المتحدّثِ لقصةٍ معقدةٍ غيرِ حقيقيةٍ وفي وقتٍ محسوبٍ - أسلوبٌ يَتبعُه الساسةُ في خُطَبِهم)
sorry sight		**مَنْظَرٌ موذٍ للعين ، شخصٌ منظرُه مُزْرٍ**
sound bite	*(Am)*	**عبارةٌ أو جملةٌ سهلةُ الحفظِ ويُمكنُ تذكرُها بسهولةٍ** (عادةً تصف

الكليشيهات التي يستخدمها الساسة
طوال الوقت وفي كلِّ مناسبةٍ)

sour grapes ***(When she married someone else, he said she was a gold digger, but it was only sour grapes.)***

التصرفُ بدناءةٍ وخِسَّةٍ إذا لم ينلْ ما يُريدُه (تستخدم عادةً لوَصفِ التشهير بامرأةٍ إذا لم تُوافقْ على الزواجِ به أو التشهيرِ بمُنتَجٍ لأنه لا يَستطيعُ شراءَه)

sow *one's* **wild oats**

يُبذِّرُ ، يُسرفُ بشدةٍ

spanking new (see "**brand new**")

جديد جداً ، لم يُمَسّ

(speak / talk) of the devil

ظهورُ شخصٍ فجأةً بمجردِ الحديثِ عنه

speak by the card

يَتكلمُ بشكلٍ مُنَمَّقٍ ، يُعبّر بشكلٍ جماليّ

speak *one's* **mind**

يَتكلّمُ بصراحةٍ ، يَتحدثُ بما في نفسِه

spelling bee

متسابقٌ في مبارةٍ لتَهْجِئةِ الكلماتِ

spend a penny *(Br)* *(S)*

يَتبوّلُ في دورة مياهٍ عامّة

spick and span

رشيقٌ وأنيقٌ <> مُنظمٌ ومُرتّبٌ <> جديدٌ تماماً

spike *someone's* **guns**			يُفسدُ خطّتَه ، يُفْشِلُ مسعاهُ
spill *one's* **guts**		*(S)*	يُفشي بما في جوفِه ، يُخبرُ عن سرِّه
spill the beans	*(Am)*	*(S)*	يَقلبُ الخطةُ رأساً على عَقِبٍ <> يَبوحُ بالسرِ
spin doctor	*(Am)*	*(S)*	شخصٌ متخصصٌ في تلفيقِ أو حياكةِ القِصص وتغذيتها لوسائلِ الإعلامِ
spitting image			الخالقُ الناطقُ ، يُشبِهه تماماً ، نُسخةٌ طِبْقُ الأصلِ
splice the mainbrace (see "**breakfast of champions**")		*(S)*	يَتناولُ شراباً كحولياً ليختمَ به يومَه
split down the middle (see "**poles apart**")			على طرفي نقيضٍ ، متضادان
split hairs			يَتماحكُ ، يُجادلُ فيما لا طائلَ منه
split the whistle			يَصلُ في آخرِ لحظةٍ
sprout wings			يَصيرُ بارًّا أو مُحْسِناً كالملائكةِ <> يُحْسِنُ العملَ في آخرِ أيامِه
square meal			وَجْبَةٌ مُغَذِّيَةٌ

square up for *something*		يَستعدُ له ، يَتجهزُ له
squeak by *someone or something*		يَمرُّ منه بصعوبةٍ ، يُفلتُ من بين أنيابِه بصعوبةٍ <> يَتجاوزُه بالكادِ (امتحانٌ أو محنةٌ)
squeaky bum time	*(Br)*	المراحلُ النهائيةُ المثيرةُ في منافسةٍ أو سباقٍ
stab in the back		يَخونُ ، يَغدرُ
stag (night / party) (see "**bucks (night / party)**" & "**hen (night / party)**")		آخرُ حفلةٍ للعريس مع أصحابِه قبل أن يَتزوجَ
stamping ground		المكانُ المُفضلُ للتلاقي (عادةً مُتّفَقٌ عليه ويَكونُ معلوماً للجميعِ)
(stand / stay) the pace		لا يَتأخّرُ ، لا يَتخلّفُ ، يَمضي على نفسِ الوتيرةِ
(stand / take) the gaff		يَصمدُ للشدائدِ ، يَتصدى للمصاعبِ
stand in for *someone*		يَحلُّ محلَّه ، يَنوبُ عنه في غيابِه
stand like greyhounds in the slips		يَتَمَلْمَلُ ، لا يَطيقُ صبراً (على أن ينطلقَ)

stand-up guy	*(Am)*	**صديقٌ وَفِيٌّ يُعرفُ في الشدائدِ**
star-crossed lovers		**عُشَّاقٌ لا حَظَّ لهم في السماءِ** (تستخدم عادةً لوَصفِ العُشَّاقِ اللذين يُفَرِّقُ بينهم القَدَرُ)
stark raving mad		**مجنونٌ جنوناً مُطبقاً**
start from scratch		**يَبدأُ من الصفرِ ، يَبدأُ بدايةً جديدةً**
status quo (Latin)		**الحالةُ الراهنةُ ، الوضعُ الحاليُّ**
stay above the fray		**يَنأى بنفسِه عن النزاع**
steal a march		**يُحْرِزُ قَصبَ السَبْقِ ، يَفُوقُ** (تستخدم عادةً لوَصفِ القيامِ بعملٍ غيرِ متوقعٍ لإحرازِ قصبَ السبقِ على الخَصمِ، وقد نشأ هذا المصطلح أساساً في ميدان المعركة حين يقومُ أحدُ الجيوش بتحريك قواته ليلاً خِلسَةً ليفاجئ العدوَّ في الصباحِ بتمركُزِه في موقعٍ أفضل)
steal *one's* thunder		**يَسرقُ أفكارَه أو اختراعاتِه ويَدَّعيها لنفسِه**
stew in *one's* own juice		**يَجني جزاءَ ما ارتكبَت يداه ، يَلقَى عاقبةَ أفعالِه**

stick (by / to) *one's* **guns**		يَثْبُتُ على رأيِه ، لا يَتزحزحُ عن قرارِه
stick in the mud ***(Please be cautious, but don't be a stick in the mud)***		مُتَحفظ ، رَجْعِي <> شَديدُ التشبث بموقفه
stick it to *someone*	*(S)*	يُعاملُه بقسوةٍ ، يَكونُ غليظَ الطباعِ معه
stick *one's* **neck out**		يُخَاطرُ ، يُعَرّضُ نفسَه للخطرِ
stick out *something* ***(Just stick out this situation. It won't last forever.)***		يَتحمّلُه بمشقةٍ ، يَطيقُه ، يَصبِرُ عليه
stick to *one's* **knitting** (see "**mind** *one's* **own business**" & "**mind** *one's* **P's and Q's**")	*(S)*	لايَشغلُ نفسَه بما لا يَخصُه ، يَهتمُ بأمورِه الشخصيةِ فقط
stick to *one's* **ribs**	*(S)*	يُشْبِعُ ، يَملأُ البطنَ (تستخدم عادةً لوَصف طعامٍ)
stick up for *someone*		يَدعمُه ، يُساندُه
stick up *someone*		يَسرقُه بالإكراهِ (عادةً تحتَ تهديدِ السلاحِ)
stick-in-the-mud		شخصٌ ضيقُ الأفقِ ، امروٌ رَجْعِيٌّ أو غيرُ تَقَدُمِيٍّ

stone's throw — **مَرمَى الحَجَرِ ، مسافةٌ قريبةٌ**

stool pigeon — **جاسوسٌ ، عَينٌ <> مُخْبِرٌ ، مُبَلِّغٌ**

storm in a teacup (see "**tempest in a teapot**") — **زوبعةٌ في فنجان ، أمرٌ مُبالَغٌ فيه بدرجةٍ كبيرةٍ**

straight from the shoulder — **بأمانةٍ ، بصدقٍ**

strain at the leash — **يَتُوقُ للخلاصِ من قيودِه ، لا يَطيقُ صبراً على الفكاكِ من أَسْرِه**

strain every nerve — **لا يَألو جهداً ، يَفعلُ أقصى ما في وسعِه**

strait-laced — **صارِمٌ في أفعالِه ، مُتشددٌ في أحكامِه**

straw man — **مُجادلةٌ ضعيفةٌ ، حُجَّةٌ واهيةٌ غيرُ مُحْكَمَةٍ** (عادةً تُطرَحُ لِذَرِّ الرماد في العيونِ ولكي يتمَ إجهاضُها بحُجَّةٍ أقوى منها) <> **وَاجِهَةٌ** (شخصٌ بعيدٌ عن الشُبهاتِ يُقَدَّمُ ظاهرياً على أنه المالكُ لعملٍ أو لمؤسسةٍ مشبوهةٍ)

strike while the iron is hot — **يطرقُ الحديدَ وهو ساخنٌ ، ينتهزُ الفرصةَ المناسبةَ**

stripped to the buff (see "**in the buff**")	*(S)*	عُرْيَانٌ
stub out a cigarette		يُطفئُ سيجارةً (بضغطِ طرفِها الأماميِّ مقابلَ سطحٍ صلبٍ)
suck the hind teat (see "**the (short / wrong) end of the stick**")	*(S)*	يَخسرُ في صفقةٍ أو تنافسٍ (تستخدم عادةً لوَصف انتهاءِ أمرٍ بشكلٍ غيرِ عادلٍ حيثُ يَأخذُ شخصٌ نصيباً أقلَّ من غيرِه)
sugar and honey	*(S)*	مَالٌ <> شخصٌ جميل
surf and turf (see "**beef and reef**")	*(S)*	فنُ طبخٍ يَجمعُ بين اللحومِ والمأكولاتِ البحريةِ <> مطعمٌ يُقدّمُ هذه التشكيلةَ من الأطعمةِ
swallow *something's* **hook, line, and sinker**		يَكونُ شديدَ السذاجةِ ، يَصيرُ سهلَ الانخداعِ
swan song		آخرُ وأفضلُ أعمالِ فنانٍ أو أديبٍ أو شاعرٍ
swear like a (pirate / trooper / sailor)		يَتحدثُ بألفاظٍ نابيةٍ طوالَ الوقتِ ، يَكونُ بذيءَ اللسانِ
(sweat / work / slog) *one's* **guts out** (see "**sweat blood**")		يَعملُ بأقصى جهدِه ، يَكدحُ
sweat blood (see "**(sweat / work / slog)** *one's* **guts out**")		يَعمَلُ بكدٍّ ، يَكدَحُ في نَصَبٍ

swing both ways *(S)*
يَنجذبُ للنساءِ وللرجالِ على حدٍّ سواءٍ (جاذبيةٌ جنسيةٌ)

swing for the fences ***(Tom is a risk taker. He always swings for the fences in all of his business deals.)***
يُحاولُ إحرازَ قَصْبِ السبقِ ، يَعملُ لأجلِ التميزِ (عادةً بلا كللٍ وبجسارةٍ – معنى مجازي) <> **يُحاولُ تسجيلَ نقطةٍ** (لعبة البيسبول – معنى حرفي)

swing the bat over *someone's* **head**
يُلَوِّحُ باستخدامِ القوةِ معه ، يُشْهِرُ له العصا الغليظةَ

swing the lead
يَتَهَرَّبُ من أداءِ واجبه ، يَتَمَارَضُ ، يتظاهرُ بالمرضِ

T

<u>tag along (after / behind / with)</u> *<u>someone</u>* ***(The dog always tags along (after / behind / with) the kids wherever they go.)***

يَتبعُه حثيثاً أينما يذهبُ (عادةً بدون دعوةٍ)

<u>take a back seat</u> **(see "<u>take the upper hand</u>")**

يَأخذُ موقفاً ثانوياً ، يَأخذُ مركزاً تابعاً (تستخدم عادةً لوَصف التنحي عن مركزِ القيادةِ)

<u>take a bath</u> ***(Small investors took a bath on Wall Street yesterday.)*** *(S)*

يَخسرُ خسارةً ماديةً فادحةً

<u>take a bite out of</u> *<u>something</u>* ***(The cost of gas will certainly take a bite out of my take-home income.)***

يُقلّلُ منه ، يَقتطعُ منه (عادةً تُستخدمُ مع النقودِ)

<u>take a chance</u>

يُجرِّبُ حظَّه ، يُخاطِرُ

<u>take a hike!</u> *(S)*

انصرفْ! اِبتعدْ!

<u>take a (leaf / page) out of</u> *<u>someone's</u>* **<u>book</u>** ***(When you talk to me in this rude manner, you are taking a leaf /page out of your brother's book.)***

يَتصرّفُ مثلَه ، يَعملُ عملَه

<u>take a message to Garcia</u>

يُثبتُ صلابةَ عزيمتِه ، يُثبتُ أهليّتَه

take a powder *(S)* يَتوارى عن الأنظارِ ، يَختفي

take a walk! *(S)* غادِر الآن! ، اخرج في الحال!

take action يَفعلُ شيئاً ، يَقومُ بعملٍ

take advantage of *someone or something* ***(Stop giving him money. He is taking advantage of you.) & (I took advantage of the sale and bought four tires for the price of one.)*** يَستغلُّه (شخصٌ) <> يَنتهزُه (شيءٌ)

take aim at يَستهدفُ ، يُصوِّبُ سلاحَه إلى

take away from ***(This drab shirt took away from your nice-looking suit.)*** يُقللُ منه ، يُنقصُ منه ، يَحُطُّ من قَدرِه

take care of *someone or something* يَعتني به ، يَرعاهُ

take charge of *someone or something* يَتحكّمُ فيه ، يُسيطرُ عليه

take effect يَحدُثُ ، يَقعُ

take exception to *something* يَعترضُ عليه ، لا يَقبَلُه <> يَعتبره مُهيناً أو مُسيئاً

take (five / ten)	*(S)*	يَأخذُ فترةَ راحةٍ قصيرةٍ (عادةً خمس أو عشر دقائق)
take flight	*(S)*	يَفِرُّ ، يَهرُبُ
take for granted		يُقرُّ به ، يَتوقّعُه عن حقٍّ <> يَبخسُه ، يَستخفُ به ، يعتبره تحصيلاً حاصلاً
take heart (intransitive verb)		يَصيرُ واثقاً من نفسِه ، يَتَشَجَّعُ (فعلٌ لازمٌ)
take heart from *something* (transitive verb) ***(After being depressed for many weeks, he took heart from what we told him yesterday, and he is on his feet again.)***		يَستأنسُ به ، يَتشجعُ به (فعلٌ متعدٍ)
take hold		يُحْرِزُ ، يَتمكنُ من (فعلٌ متعدٍ) <> يَصيرُ راسخاً ، يَتوطدُ (فعلٌ لازمٌ)
take in vain		يَنطقُ لفظَ الجلالةِ بدونِ ما يَليقُ به من الإكبارِ ، يُسْرِفُ في لفظِ اسمِ الربِ بلا داعٍ
take into account		يَأخذُ في الاعتبارِ
take issue with		يَختلفُ مع ، يَكونُ على النقيضِ من ، يَكونُ مُعَارِضاً لـ

take it easy	**هَوِّنْ عليك ، لا تدعْ هذا الأمرَ يزعجك**
take it on the chin	**يَتعرضُ لعقابٍ قاسٍ ، يَتجرّعُ هزيمةً مُهينةً**
take it or leave it	**إما أن تقبلَ ما يُعرضُ عليك أو لا شيءَ على الإطلاقِ** (عادةً يكونُ المعروضُ غيرَ مُستحبٍ أو ممقوتاً ولكن البديل عنه هو العدمُ)
take it out on *someone* ***(Don't take it out on the little kid. After all, he is not the one who fired you!)***	**يُسيءُ إليه تنفيساً عن غضبِه ، يَضعُ هَمَّه فيه**
take kindly to *something* ***(He didn't take kindly to his sister's advice.)***	**يَتَقَبَّلُه** ، يَرضَى به (عادةً تُستعملُ في صيغةِ النفي)
take no prisoners	**لا يبدي أيَ رحمةٍ مع خصومِه ، لا يقبلُ بأقلَّ من المكسبِ الكاملِ لنفسِه والخسارةِ الكاملةِ لخصومِه** (في حربٍ أو تجارةٍ أو تفاوضٍ)
take notice of *something*	**يُعيرُه انتباهَه ، يَنتبهُ إليه**
take *one's* **breath away**	**يَجعلُه يَحبسُ أنفاسَه ، يَعقدُ لسانَه من الدهشةِ**
take *one's* **time**	**لا يتعجّلُ ، يأخذُ وقتَه**

<u>take part in</u> <u>*something*</u> — يُساهمُ فيه ، يَشترِكُ فيه

<u>take root</u> — يَتَرَسَّخُ ، يَتَغَلغَلُ ، يَتَأصَّلُ

<u>take shape</u> — يأخذُ شكلاً مُحدداً <> يَصيرُ قائماً بذاتِه ، يَصيرُ معتمداً على نفسِه

<u>take sick</u> *(Am)* *(S)* — يُصبحُ مريضاً

<u>take</u> <u>*someone*</u> **<u>for a ride</u>** *(S)* — يَخدعُه ، يَنصبُ عليه <> يَأخذُه لمكانٍ منعزلٍ ويَقتلُه

<u>take</u> <u>*someone*</u> **<u>to the cleaners</u>** ***(He was drunk, and he was taken to the cleaners yesterday in the poker game.)*** *(S)* — يَفْقِدُ كلَّ ما يَملكُ ، يُضَيِّعُ ثَروتَه

<u>take</u> <u>*something*</u> **<u>in</u>** <u>*one's*</u> **<u>stride</u>** ***(He broke his arm and missed the final exam. However, he was content and took it in his stride.)*** — يَتقبلُه كجزءٍ من مسارِ حياتِه ، لا يَجزعُ للضرّاءِ

<u>take</u> <u>*something*</u> **<u>lying down</u>** — يَتقبّلُه بخنوعٍ ، يَأخذُه بلا أدنى استياءٍ (تستخدم عادةً لوَصف تَقبل إهانةٍ أو احتقارٍ)

<u>take</u> <u>*something*</u> **<u>to heart</u>** — يَأخذُه على مَحمَلِ الجدِّ ، يُنصتُ إليه

take *something* **with a (grain / pinch) of salt**		يَتقبلهُ على مضضٍ ، يَتَجَرَّعه بتشككٍ
take the bark off *someone*		يُعاقبُه بقسوةٍ شديدةٍ (كما لو كانَ يَجْلِدُه – معنى مجازي) ، يَزْجُرُه بشدةٍ
take the biscuit	*(S)*	يُعارضُ بلا داعٍ ، يصيرُ مُنَفِّراً
take the bit between *one's* **teeth**		يَأخذُ بزمامِ الموقفِ
take the bull by the horns		يَنالُ ما يُريدُه بالقوةِ ، وما نيلُ المطالبِ بالتمني ولكن تُؤخَذُ الدنيا غِلاباً
take the cake	*(S)*	يفوزُ بجدارةٍ ، ينالُ حظوةً
take the floor (see "**hold the floor**")		يَتقدمُ للإدلاءِ بخطابٍ ، يَتبوأُ خشبةَ المسرحِ
take the gilt off the gingerbread	*(S)*	يُجَرِّدُه من أفضلِ ما فيه ، يَحْرِمُه من أفضلِ مزاياه
take the (mick / mickey) out of *someone*	*(S)*	يَسخرُ منه (عادةً عن طريقِ تقليدِ ما يقولُ أو ما يفعلُ بشكلٍ فكاهيٍ)
take the piss out of *someone*	*(V)*	يَسخرُ منه ، يَستهزءُ به

take the plunge		**يُقْدِمُ على عملٍ ، يَشرعُ في عملٍ** (عادةً بعد فترةِ إحجامٍ)
take the shine off *something* ***(Losing our luggage at the airport took the shine off our trip to Hawaii.)***		**يَذهبُ بالجانبِ المُمْتعِ فيه**
take the upper hand (see "**take a back seat**")		**يَأخذُ مركزاً ريادياً ، يَتبوأُ موقعاً أساسياً**
take time by the forelock		**يَستغلُّ وقتَه أحسنَ استغلالٍ ، يَنتهزُ كلَّ دقيقةٍ**
take to *one's* **heels**		**يَفِرُّ على عَقِبَيْه ، يَفِرُّ هارباً**
take turns		**يَتبادلُ الأدوارَ**
take umbrage		**يَستاءُ ، يَمتعِضُ** (من تصرفاتِ الآخرين أو أقوالِهم)
take under *one's* **wing**		**يُساعدُه ويَحميه ، يَحتضنُه** (تستخدم عادةً لوَصف شخصٍ يَحتضنُ شخصاً آخر أقلَ منه سِناً أو خبرةً)
take up the cudgels for *someone or something*	*(Br) & (Au)*	**يُجادلُ بلا هوادةٍ دفاعاً عن** (شخصٍ أو شيءٍ)
take up the gauntlet (see "**throw down the gauntlet**")		**يَقبلُ التحدي ، يُوافقُ على مبارزةِ من تحدّاه**

take up with ***(To win the election, he took up with some shady politicians.)***		**يَندمجُ مع ، يَختلطُ بِ** (من بابِ ترسيخِ أو توطيدِ علاقةٍ)
take-home pay		**صافي الدخلِ ، الدخلُ بعد الاستقطاعاتِ**
taken aback		**تُذْهِلُهُ المفاجأةُ**
talk a blue (streak / mile) a minute		**يَتحدّثُ بسرعةٍ كبيرةٍ ، يَتحدثُ كالسهمِ المنطلقِ** (عادةً تُعجِزُ المستمعين عن ملاحقةِ الكلامِ)
talk back to *someone*		**يَردُّ عليه بوقاحةٍ ، يَردُّ عليه بتحدٍ**
talk big	*(S)*	**يَتفاخرُ ، يَتباهى**
talk down to *someone*		**يَستخفُّ بعقلِه ، يَتحدثُ إليه ببساطةٍ كأنه طفلٌ أو ساذجٌ لا يَعي الكلامَ المعقّدَ**
talk sense		**يَتحدّثُ برصانةٍ ، يَتحدّثُ بتعقّلٍ**
talk show		**لقاءٌ إذاعيٌ أو تلفزيونيٌ مع مجموعةٍ من المشاهير** (للتحاور في موضوعٍ محددٍ)
talk through *one's* **hat**		**يَقولُ كلاماً بلا معنى ، يَتفوهُ بهراءٍ** (عادةً عن أمرٍ يَجهلُه)

talk to the hand!	*(V)*	**صه! اخرسْ!** (عادةً تقال مع رفع راحة اليد في وضعٍ رأسيٍ ووضعها في وجه من يَتحدثُ)
talk turkey	*(S)*	**يَتكلّمُ بصراحةٍ ، يَتحدّثُ بدونِ مواربةٍ**
tall story (see "**cock and bull story**" & "**shaggy dog story**")	*(S)*	**قصةٌ مخْتَلَقَةٌ ، حكايةٌ يستحيلُ تصديقُها**
tarred and feathered		**مَفضوحٌ على المَلَأِ ، مُجَرَّسٌ**
tarred with the same brush		**من نفسِ الحَمَأةِ ، اكتوى بذاتِ النارِ**
taste of ***one's*** **own medicine**		**جزاءُ ما جنت يداه ، كما تُدينُ تُدانُ**
teach ***one's*** **grandmother to suck eggs**		**يَنصحُ أستاذَه ، يَعظُ إمامَه** (تستخدم عادةً لوَصف محاولةِ شخصٍ تعليمَ من يَفوقُه عملَ أو قولَ شيءٍ)
tell it to the marines!		**هذا هُراءٌ لا يُصَدَّقُ!**
tempest in a teapot (see "**storm in a teacup**")		**زوبعةٌ في فنجانٍ ، أمرٌ مُبالَغٌ فيه بدرجةٍ كبيرةٍ**
ten-gallon hat	*(Am)*	**قُبعةٌ لرعاةِ البقرِ** (تتميزُ بحافتِها العريضةِ وتاجِها الناتئِ)

test *one's* **mettle** (see "**show** *one's* **(mettle / true colors)**")		يَبتليه ، يَختبرُ معدنَه
the apple of *one's* **eye**		قرّةُ عينِهِ
the back of beyond		مكانٌ مهجورٌ ، مكانٌ منبوذٌ
the ball is in *one's* **court**		الأمرُ متروكٌ له ، الدورُ دورُه
the bane of *one's* **life**		ما يُسمّمُ أو يُنكّدُ أو يُنغّصُ عليه حياتَه
the bees knees (see "**the mutt's nuts**")	*(S)*	ممتازٌ ، على أعلى جودةٍ
the belle of the ball		أجملُ امرأةٍ في الحفلِ ، أكثرُ النساءِ جاذبيةً في المناسبةِ
the best of both worlds		الجمعُ بين الحُسنَيَيْن <> الجمعُ بين ميزتَيْن متعارضتَين ظاهريّاً
the big apple	*(S)*	كُنيةٌ لمدينةِ نيويورك (الولايات المتحدة)
the big cheese (see "**the top banana**")	*(S)*	الشخصُ الأكثرُ أهمّيةً
the big easy	*(S)*	كُنيةٌ لمدينةِ نيو أورليانز (الولايات المتحدة)

the biggest (frog / toad) in the puddle		**الشخصُ الأكثرُ أهميةً ، المرءُ الأكثرُ شهرةً** (عادةً في مجتمعٍ صغيرٍ أو وسطٍ محدودٍ)
the birds and the bees		**الإنسانُ يُشبهُ الطيورَ والحيواناتِ** (عبارةٌ تقال كمقدمةٍ عندما يبدأ الأبوان في الحديث عن الجنس و"من أين يأتي الأطفال؟" لأطفالِهم الصغار)
the brains behind *something*		**العقلُ المدبّرُ** (لأمرٍ أو لشيءٍ)
the buck stops here (see "**pass the buck**")		**تَنتهي إلى هنا المسؤوليةُ ، لن تُمررَ المسؤوليةُ إلى أيّ أحدٍ آخر**
the chosen few		**النخبةُ المختارةُ** (عادةً عن غير استحقاقٍ)
the collywobbles (see "**butterflies in the stomach**")	*(S)*	**جريانُ أو قرقرةُ البطنِ** (تستخدم عادةً لوَصف حالةٍ مَرَضِيةٍ)
the crack of doom		**بدايةُ النهايةِ لأيِّ أمرٍ** (معنى مجازي) <> **بدءُ يومِ القيامةِ** (معنى حرفي)
the cupboard is bare		**ما باليدِ حيلةٌ**
the cut of *one's* **jib**	*(S)*	**مَظْهَرُهُ العام <> سُلُوكُه**
the dark side of *someone or something*		**الجانبُ المظلمُ الخفيُّ** (لشخصٍ أو لشيءٍ وتستخدم عادةً لوَصف سرٍ أو

مكنونٍ غيرِ معلومٍ وليس بالضرورة أمراً شائناً)

the devil incarnate — **شيطانٌ بشريٌ ، شيطانُ الإنسِ**

the devil take the hindmost — **دع كلاً على هواه ، دع كلاً يَفْعَلُ ما يَشاءُ**

the devil to pay ***(There will be the devil to pay if you follow him.)*** — **عاقبةٌ وخيمةٌ ، ما لا تُحْمَدُ عُقباهُ**

the die (is / has been) cast — **حَمَّ القَضَاءُ ، لا يُمكنُ الرجوعُ فيه ، لا يُمكنُ التراجعُ عنه** (تستخدم عادةً لوَصف أمرٍ أو اختيارٍ)

the elephant in the room — **المشكلةُ الأساسيةُ التي يَعلمُها الجميعُ ولا يَتحدثُ عنها أحدٌ** (عادةً لأنها تسبّب إحراجاً أو تتطلبُ تضحياتٍ)

the eleventh hour — **الفرصةُ الأخيرةُ** (لفعلِ شيءٍ أو لتحصيلِ منفعةٍ)

the ends of the earth — **مشارقُ الأرض ومغاربُها ، أقصى أطرافِ الأرضِ**

the fat is in the fire — **ضاعَ كلُّ شيءٍ ، تَلفَ الأمرُ برمتِه**

the fourth estate — **الصَحافةُ ، السلطةُ الرابعةُ** (بعد السُلطاتِ الثلاثِ الأساسيةِ: التنفيذيَّةِ والتشريعيَّةِ والقضائيَّةِ)

the full monty (see "**lock, stock and barrel**" & "**to the queen's taste**")		**كلُ شيءٍ ، الأمرُ برمتِه**
the ghost walks ***(The ghost walks every other Friday.)***	*(S)*	**يَتِمُّ دفعُ الرواتبِ**
the goose (hangs / honks) high		**الوقتُ سانحٌ أو مُؤاتٍ ، كلُّ شيءٍ على ما يُرامُ**
the great unwashed (see "**hoi polloi**")	*(S)*	**الطبقةُ العاميةُ ، العَوَامُ ، عَوَامُّ الناسِ**
the hairy eyeball		**نظرةٌ سريعةٌ ، لمحةٌ مسترَقةٌ** (والعينُ نصفُ مغمضةٌ)
the (handwriting / writing) on the wall (see "**in the wind**")		**نذيرٌ بوقوعِ أمرٍ**
the high ground		**وَضْعٌ أفضل** (من وضعِ المنافسين)
the jig is up	*(S)*	**انتهت اللعبةُ ، انكشفت الحيلةُ** (عادةً تُقالُ للمجرمين أو النصّابين حال الإيقاعِ بهم)
the jury is still out		**لم يُحسمْ الأمرُ بعد**
the last straw (see "**the straw that broke the camel's back**")		**آخرُ حِمْلٍ أو عِبْءٍ وإن كان صغيراً ولكنه يَجعلُ الأمرَ برمّته لا يُطاقُ**

the life and soul of *something*		ظاهرُه وباطنُه ، كلُّ شيءٍ فيه
the lion's share		نصيبُ الأسدِ ، أكبرُ حظٍ أو حِصَّةٍ
the living daylights (see "(**beat / belt) the living daylights out of** *someone*")		الضميرُ (معنى مجازي) <> العينان (معنى حرفي)
the long arm of the law		الشرطةُ <> عصا القانونِ
the mutt's nuts (see "**the bees knees**")	*(S)*	ممتازٌ ، على أعلى جودةٍ
the new kid on the block		وافدٌ جديدٌ ، أحدثُ شخصٍ في مجموعةٍ
the party's over	*(S)*	انتهى وقت اللهو ، حان أوانُ الجِدّ
the penny dropped		تَحَقُّقُ شيءٍ بعدَ طولِ انتظارٍ أو ترقُّبٍ
the real McCoy		شخصٌ أصيلٌ (مَشهودٌ لأدبِه وأخلاقِه) ، شيءٌ أصليٌّ (عكسُ المُصطَنَعِ أو التقليدِ)
the rest is gravy		تمت تغطيةُ كلِّ التكاليفِ والباقي مكسبٌ سهلٌ بلا مجهودٍ

the road less traveled

بديلٌ غيرُ تقليديٍّ أو اعتياديّ (معنى مجازي) <> **طريقٌ غيرُ مطروقٍ** (معنى حرفي)

the roof caved in ***(When everything seemed perfect and couldn't get better, my father died, and the roof caved in.)***

حَدثَ أمرٌ جللٌ ، وَقعت السماءُ على الأرضِ (معنى مجازي)

the rub of the green

الحظُّ (في المنافساتِ الرياضيةِ)

the salt of the earth

الرجالُ بحقٍ ، صَفوَةُ الناسِ

the seven-year itch

جنوحُ المتزوجين للخيانة الزوجية بعد سبعِ سنواتٍ من الزواجِ

the sharp end of *something* ***(John likes challenges, and he does not mind being at the sharp end of hedge fund investing.)***

أَصعبُ شيءٍ فيه ، الجُزءُ المُعْضِلُ فيه

the shirt off *one's* **back** ***(He's my best friend. He'd give me the shirt off his back.)***

آخرُ شيءٍ ، آخرُ ما يَملكُ ، ما دُونَهُ العدمُ

the shoe is on the other foot

تَبَدَّلَ الحالُ ، انقلبَ الوضعُ

the (short / wrong) end of the stick **(see "suck the hind teat")**

الخسارةُ في صفقةٍ أو تنافسٍ (تستخدم عادةً لوَصف انتهاء أمرٍ بشكلٍ غيرِ

عادلٍ حيثُ يَأخذُ شخصٌ نصيباً أقلَّ من غيرِه)

the sky is the limit			بلا حدودٍ ، بدون حدٍ أقصى
the smallest room in the house		*(S)*	الحَمَّامُ ، المَشْطَفُ
the straight and narrow			الصّراطُ المستقيمُ
the straw that broke the camel's back (see "**the last straw**")			القشّةُ التي قصمَت ظهرَ البعيرِ
the toast of the town			معبودُ الجماهير ، شخصٌ يُحِبُّه الجميعُ
the top banana (see "**the big cheese**")		*(S)*	الزعيمُ ، القائدُ
the whole kit and caboodle			المجموعةُ الكاملةُ (من أشياءٍ)
the whole (nine yards / shebang)	*(Am)*		الأمرُ برمته ، كلُّ شيءٍ
the year dot	*(Br)*	*(S)*	في العصورِ السحيقةِ ، في الزمنِ الغابرِ
there is no holding *one*		*(S)*	لا يُمكنُ كَبْحَ جِماحِه

there is something about *someone or something*		**هناك أمرٌ مغرٍ أو مثيرٌ للفضولِ بخصوصِه**
third degree		**استنطاقٌ أو استجوابٌ قاسٍ ، تعذيبٌ لانتزاعِ اعترافٍ**
third rail		**موضوعٌ شديدُ الحساسيةِ ، أمرٌ شائكٌ جداً** (عادةً من الخطورةِ التطرقُ إليه)
third time lucky		**حظُّ المحاولةِ الثالثةِ** (الإيمان بأن المحاولة الثالثة ستكون أكثرَ حظاً من المرتين السابقتين)
third wheel		**لا حاجةَ له ، لا جدوى منه**
thorn in the flesh		**شوكةٌ في الحلقِ**
three sheets (in / to) the wind	*(S)*	**سكرانٌ ، مخمورٌ**
through thick and thin		**في السراءِ والضراءِ ، في الحلوِ والمرِ**
throw a curve		**يَخدعُ <> يُفاجئ <> يُربكُ**
throw a game		**يَخْسَرُ مباراةً عن عمدٍ <> يُخَسّرُ فريقَه عن عمدٍ**

throw a kiss		يُلقي بقبلةٍ في الهواءِ
throw a party for *someone*		يُقيمُ حفلاً له ، يَحتفلُ به
throw a tantrum		يُلقي سَوْرَة غضبِه ، تنتابُه نوبةُ غضبٍ
throw caution to the wind		لا يَكترثُ بشيءٍ ، لا يَحْذَرُ أيَّ شيءٍ
throw down the gauntlet (see "**take up the gauntlet**")		يَتحدى ، يَطْلُبُ للمبارزةِ
throw in the (sponge / towel)		يَستسلمُ ، يُقرُّ بالهزيمةِ
throw money around (see "**have money to burn**")		يُسرفُ بلا حسابٍ ، يُنفقُ إنفاقَ من لا يَخشى الفقرَ
throw *one's* **hat into the ring**		يَقبلُ التحدي ، يُوافِقُ على الاشتراكِ في عملٍ أو مشروعٍ <> يَتحدى شخصاً آخر
throw *one's* **weight around**	*(S)*	يَستخدمُ سطوتَه (عادةً بشكلٍ مبالغ فيه)
throw *someone* **back**		يَجعلُه معتمداً على شخصٍ أو شيءٍ

throw *something* open		يَفتحُه على مصراعيه (عادةً بشكلٍ مفاجئٍ)
throw *something* up		يَبنيه أو يُقيمُه على عُجالةٍ
throw the baby out with the bath water	*(S)*	يُلْقِي بشيءٍ ثمينٍ مع آخرٍ بلا قيمةٍ (عن سهوٍ أو بغيرِ قصدٍ)
throw the book at *someone*		يُعاقبُه عقوبةً جسيمةً <> يُؤَنّبُه تأنيباً شديداً
throw together *something*	*(S)*	يُجَهّزُه على عُجَالةٍ ، يُعِدُّه بتسرّعٍ
throw up *one's* hands		يَستسلمُ ، يُسَلّمُ رايتَه (برفعِ ذراعيه ممدودتين لأعلى)
thumb *one's* nose		يَعترضُ بتحدٍّ <> يَحتقرُ ، يَزدري
thumbs down		يُبدي اعتراضَه أو استهجانَه <> إشارةٌ للاعتراضِ أو الاستهجانِ
thumbs up		يُبدي موافقتَه أو استحسانَه <> إشارةٌ للموافقةِ أو للاستحسانِ
tickle the ivories	*(S)*	يَعزفُ أو يَلعبُ على البيانو
tickled pink	*(S)*	مُبْتَهِجٌ ، مسرورٌ

tie in with *something*		تَكونُ له علاقةٌ به ، يَكونُ وطيدَ الصلةِ به
tie one on	*(S)*	يَشربُ حتى الثمالةِ
tie the can to *someone* **(see " give the air to** *someone***")**	*(S)*	يَفصِلُه من وظيفتِه ، يَعزِلُه من منصبِه
tie the knot		يَتزوجُ (فعلٌ لازمٌ) ، يُزَوِّجُ (فعلٌ متعدٍ)
tied to *one's* **mother's apron strings**		شديدُ التعلقِ بأمِه ، يَأتمرُ بأمرِ أمِّه
tight-lipped (see "close-mouthed")		لا يَنطقُ بكلمةٍ ، لا يبوحُ بأيِّ شيءٍ
(till / until) the cows come home		لفترةٍ طويلةٍ جداً ، بلا نهايةٍ
tilt at windmills		يُحاربُ طواحينَ الهواءِ (تستخدم عادةً لوَصف شخصٍ يُحاربُ أعداءً في مخيلتِه)
time-server		انتهازيٌّ ، مُتَمَلِّقٌ لذوي النفوذِ
time hangs heavy on *someone's* **hands**		يَمرُّ عليه الوَقتُ ببطءٍ ، يَشعرُ بالمَللِ (عادةً لعدم وجود ما يَعملُه أو من الفراغ)

<u>tinker's (dam / damn)</u>		**أمرٌ تافهٌ ، شأنٌ لا قيمةَ له**
<u>tip a few</u>	*(S)*	**يَتناولُ بعضَ المشروباتِ** (عادةً كحولياتٌ وبالأخصِ جعة)
<u>tip</u> *<u>one's</u>* **<u>hand</u>** ***(Jim didn't say a word and kept them guessing to the very end. He didn't tip his hand at all.)***		**يُفْضِي بمكنونِ نَفسِه ، يَفْضحُ أَمرَه ، يَكشفُ سِرَّه** (عادةً عن غيرِ قصدٍ)
<u>tissue of lies</u>		**قصةٌ مُختَلَقةٌ ، حكايةٌ من نسجِ الخيالِ** (عادةً بهدف الخداعِ)
<u>tit for tat</u> **(see "<u>quid pro quo</u>")**		**هذه بتلكَ ، عينٌ بعينٍ وسنٌ بسنٍ** (تستخدم عادةً لوَصف حالة الانتقامِ أو الثأرِ)
<u>to beat the band</u> ***(Yesterday, it rained all day to beat the band.)***		**لأقصى درجةٍ ، بشدةٍ ، بغزارةٍ**
<u>to</u> *<u>one's</u>* **<u>heart's content</u>**		**ليطمئنَ قلبُه ، حتى يرضَى كل الرضى**
<u>to</u> *<u>one's</u>* **<u>mind</u>**		**في رَأْيِه**
<u>to the bitter end</u>		**لأقصى طاقتِه <> لمنتهى النهايةِ**
<u>to the manner born</u>		**بفطرتِه ، على سَجيّتِه**

to the nth degree		لأقصى درجةٍ ممكنةٍ ، بلا حدودٍ
to the queen's taste (see "lock, stock, and barrel" & "the full monty")		كلُّ شيءٍ ، الأمرُ برمّتِه <> تماماً ، قطعاً
(toe / tow) the (line / mark)		يَنصاعُ للأمرِ بكلِّ دقةٍ ، يَتبعُ التعليماتِ بحذافيرها
toe-curling		شديدُ الإحراجِ ، يُسببُ المهانةَ
toffee-nosed	*(S)*	متشامخٌ ، متكبّرٌ
too big for *one's* boots (see "**too big for *one's* (breeches / britches)**")		مغرورٌ ، مُغْتَرٌ بنفسِه ، متعجرفٌ
too big for *one's* (breeches / britches) (see "**too big for *one's* boots**")		مغرورٌ ، مُغْتَرٌ بنفسِه ، متعجرفٌ
top dog		شخصٌ بارزٌ
top drawer (see "**bottom drawer**")	*(Br)* *(S)*	على أعلى جودةٍ <> شخصٌ من صفوةِ المجتمعِ
top notch		ممتازٌ ، لا يُعلَى عليه

top-down (see "**bottom-up**")			**من أعلى لأسفلٍ ، عُلويٌّ سفليٌّ** (أسلوبٌ في الإدارةِ يبدأُ بقرارٍ تتخذه الإدارةُ العليا لينفذّه صغارُ الموظفين فيما بعد ، أسلوبٌ في التخطيط يبدأُ بالخطوطِ العريضةِ وينتهي إلى التفاصيلِ الدقيقةِ)
topsy-turvy (see "**upside down**")	*(Br)*	*(S)*	**مقلوبٌ ، أعلاهُ أسفلُه**
tough it out			**يَصمدُ للشدائدِ ، يَخشوشنُ**
tower of strength			**ركنٌ ركينٌ ، كالجبلِ الشامخِ ، شخصٌ يُرْكَنُ إليه أو يُعَوَّلُ عليه**
(treat / handle) *someone* **with kid gloves**			**يُعاملُه بلطفٍ زائدٍ** (خشيةَ نفوذِه أو غضبِه)
trip the light fantastic		*(S)*	**يَرْقُصُ ، يَتراقصُ**
trouble and strife (see "**ball and chain**")	*(Br)*	*(S)*	**الزَوْجَةُ** (عادةً تُقالُ بشكلٍ ساخرٍ)
true blue			**مُخْلصٌ في تفانيه ، لا يتزعزعُ عن مبادئِه**
try it on the dog			**يُجَرّبُه أولاً عليه** (لمعرفةِ تأثيرِه وأضرارِه قبلَ أن يَطرحَه للعامَّةِ – لها مدلولٌ سلبيٌّ على الشخصِ محلَّ التجربةِ)

try to scratch *one's* ear with *one's* elbow		يُحاولُ المستحيلَ
tune the old cow died of		نَغمةٌ مُملةٌ ، شيءٌ مُكرّرٌ مَمجوجٌ
(turn / turn up) the heat on *someone*		يَستجوبُه بلا توقفٍ ، يَستنطقُه بلا هوادةٍ
turn a blind eye to *something*		يُغضي الطرفَ عن ، يَتَعَامَى عن
turn a new leaf		يَبدأُ صفحةً جديدةً ، يَبدأُ من جديدٍ ، يَطوي صفحةَ الماضي
turn against *someone*		يَنقلبُ عليهِ ، يَقلبُ له ظهرَ المَجَنِّ
turn an honest penny	*(Br)* *(S)*	يَكسبُ من كدحِه ، يَكسبُ عيشَه من عرقِ جبينِه
turn (back the clock / the clock back)		يُعيدُ عجلةَ الزمنِ للوراءِ ، يَعودُ للماضي
turn the tables on *someone*		تصيرُ له اليدُ العليا في المنافسةِ بعد أن كان متأخراً عنه ، يَتبدلُ حالُه من الخسارةِ للمكسبِ
turn up for the books		حظٌ سعيدٌ مفاجئٌ ، توفيقٌ غيرُ متوقعٍ

turn up *one's* **nose at** *someone or something*	**يَنظرُ إليه باحتقارٍ ، يزدريه ، يَتعالى عليه**
twenty-four seven	**على مدارِ اليومِ ، لا يَغلقُ أبوابَه** (تستخدم عادةً لوَصف ساعاتِ العملِ لمتجرٍ أو محلٍّ تجاريّ)
(twist / wrap) *someone* **around** *one's* **little finger**	**يَصيرُ كالخاتمِ بإصبعِه ، يَصيرُ طَوْعَ أمرِه**

u

under a flag of convenience	تَجَنُّبُ دفعِ الرسومِ أو التعريفاتِ أو الضرائبِ بحيلٍ قانونيةٍ
under *one's* **breath** ***(John said something under his breath, and I am sure it was a curse.)***	بِصوتٍ خافتٍ ، بِهَمسٍ
under *one's* **nose**	أمامُه مباشرةً ، واضحٌ كالنهارِ
under *one's* **own steam**	بمجهودِه الخاص ، مُعتمداً على نَفسِه
under *one's* **thumb**	تحت سيطرتِه ، خاضعٌ له
under the gun	تحت ضغطٍ لقولِ أو لعملِ شيءٍ ما
under the weather	مريضٌ ، عليلٌ
under the wire	بالكادِ ، في الوقتِ المناسِبِ
until *one* **is blue in the face** ***(You can talk until you are blue in the face, but I will never believe that you didn't take my money.)***	لوقتٍ طويلٍ وبلا أملٍ ، بلا انقطاعٍ وبدون جدوى (عادةً تُعني أن قائلَها لن يُصغي للحديثِ لعدمِ اقتناعِه به مُسبقاً)

up a blind alley			يَسيرُ في طريقٍ آخرُه الندامةُ ، يَسلكُ مسلكاً لا تُحْمَدُ عُقْباه
up a (gum tree / tree)			في وضعٍ لا يُحسدُ عليه ، في وضعٍ محيرٍ جداً
up against *someone or something*			في مواجهةِ شخصٍ أو شيءٍ ما
up and coming			مأمولٌ ، مَرْجُوٌّ ، مُتَوَقَّعٌ له النجاحُ
up for grabs			مُتاحٌ للجميعِ ، يُمكنُ لأيِّ شخصٍ الفوزُ به
up in arms			تَثورُ ثائرتُه ، مُستثارٌ ، مُشتاطٌ (حميةً أو غضباً)
up in the air			غيرُ محدَّدٍ ، لم يُحْسَمْ بعدُ
up *one's* **alley**			على هواه <> مُؤهَلٌ له
up *one's* **sleeve**			في جُعْبَتِه
up sticks	*(Br)*	*(S)*	يُغادرُ مُسْتَقَرَّه ، يَرحلُ عن موطنِه
up the (booay / boohai)	*(Nz)*	*(S)*	فُقِدَ للأبد ، ذهبَ بغيرِ رجعةٍ

up the (creek / river) without a paddle (see "**behind the eight ball**")		في مَوقفٍ دقيقٍ يَتعسرُ الفكاكُ منه
up the duff	*(S)*	حامِلٌ (عادةً تصف حَمْلاً غيرَ متوقعٍ)
up the pole	*(S)*	سكرانٌ ، مخمورٌ ، ثَمِلٌ
up the spout ***(My plan to open a new restaurant has gone up the spout.)***		حَادَ عن طريقِه ، انحرفَ عن مسارِه <> في وضعٍ ميؤوسٍ منه
up to snuff	*(S)*	مطابقٌ للمواصفاتِ <> معلومٌ ويُعَوَّلُ عليه
upper crust	*(S)*	الطبقةُ الراقيةُ ، عُلْيَةُ القومِ
upper hand (see "**lower hand**")		يدٌ عليا ، في موضعٍ أفضلَ
upset the apple cart		يَقلبُ الأمورَ رأساً على عقبٍ
upside down (see "**topsy-turvy**")		مقلوبٌ ، أعلاهُ أسفلُه
urban myth		قصةٌ مُخْتَلَقَةٌ أو مُبالَغٌ فيها تُصْبِحُ كالحقيقةِ من كثرةِ تداولِها

<u>vanish into thin air</u> — يَختفي ولا يَتركُ أثراً ، يَتلاشى بلا أثرٍ

<u>verge (on / upon)</u> ***<u>something</u>*** — يَقتربُ منه (كماً أو كيفاً) ، يَكادُ يَستوي معه

<u>vicar of bray</u> *(Br)* — شخصٌ يَأكلُ على كلِّ الموائدِ ، متزلفٌ لمن فوقَه ولا مبدأَ له

<u>vice versa</u> (Latin) — و العكسُ بالعكسِ ، والعكسُ صحيحٌ

<u>vicious circle</u> — حلقةٌ مُفْرَغَةٌ ، كالكلبِ يُطاردُ ذيلَه

<u>vis-à-vis</u> (French) — وجهاً لوجهٍ <> مُقَارَنةً بِ ، فيما له علاقةٌ بِ

W

wait for dead man's shoes

يَترقبُ وفاتَه ليَرِثَه ، يَنتظرُ موتَه ليَرِثَه

walk free

تُبَرَّأ ساحتُه ، يُطْلَقُ سراحُه

walk in the park

عملٌ هينٌ ، مهمةٌ سهلةٌ (تستخدم عادةً لوَصف أمرٍ أو عملٍ يُمكنُ تأديتُه بلا أيِّ عناءٍ كما لو كانَ نزهةً)

walk off *something* ***(I walked off my anger.)*** **(see "walk off** *something***")**

يَتخلصُ منه بالمشيِ أو مَشياً

walk off with

يَسرقُ <> يَفوزُ بـ ، يَنالُ <> يَتفوقُ على منافسيه بسهولةٍ

walk on air

يَطيرُ فرحاً

walk on (egg shells / eggs) (see "skate on thin ice")

يَأخذُ منتهَى حَذَرِه ، يَحسبُ خطواتِه بدقةٍ

walk out of *something*

يَتركُ عملَه أو موقعَه اعتراضاً

walk out on *someone*

يَهْجُرُه ، يَتخلّى عنه

walk *someone* **through** *something* يُرشدُه ، يَدُلُّه

walk Spanish *(S)* يَمشي بحرصٍ ، يَمشي على أطرافِ أصابعِه <> يُسَرّحُ ، يَتمُّ تسريحُه (من الجيشِ أو من خدمةٍ رسميةٍ)

walk the chalk *(S)* يَكونُ تحتَ المراقبةِ في كلِّ خطوةٍ من خطواتِه <> يَسيرُ في خطٍ مرسومٍ له لا يَحيدُ عنه

walk the plank *(S)* يُعَاقَبُ ، تَنْزِلُ به العقوبة (عادةً عقوبةٌ مُحِطَةٌ للقَدْرِ)

walk the talk تُطَابِقُ افعالُه أقوالَه ، يَعْمَلُ بما يَعِظُ به <> يفي بوعوده

waltz in ***(Ten minutes after the meeting began, he suddenly waltzed in.)*** يَخطو مُتبختراً ، يَدخلُ بخفةٍ ورشاقةٍ

warm the cockles of *one's* **heart** يَشرحُ صدرَه ، يُسعدُه

warts and all ***(I like Fred, warts and all.)*** كلُّ ما فيه ، حسناتُه وعيوبُه

wash *one's* **dirty linen in public** لا يَستترُ ، يَفضحُ عيوبَه بنفسِه

water under the bridge ***(What happened between the two of us in the past is water under the bridge.*** أمرٌ فائتٌ (يَستحيلُ الرجوعُ عنه)

Now, I am willing to build a new business relationship with you.)

wave a red flag to a bull — **يَسْتَفِزُّه ، يُهيجُه عَمداً** (بغرضِ دفعِ شخصٍ للقيامِ بعملٍ مضادٍ)

wax lyrical (see "**wax poetic**") — **يَتحدثُ بحرارةٍ تُلهبُ المشاعرَ ، يُسحِرُ الناسَ بحديثِه** (هذا استخدامٌ نادرٌ لكلمة "wax" المُستخدَمةُ هنا كفعلٍ بمعنى "يزدادُ" والمقصودُ أن المُتحدثَ كلامُه كالغِناءِ)

wax poetic (see "**wax lyrical**") — **يَتحدثُ بحرارةٍ تُلهبُ المشاعرَ ، يُسحِرُ الناسَ بحديثِه** (هذا استخدامٌ نادرٌ لكلمة "wax" المُستخدَمةُ هنا كفعلٍ بمعنى "يزدادُ" والمقصودُ أن المُتحدثَ كلامُه كالشِعْرِ)

wear *one's* heart on *one's* sleeve — **يَكونُ مُخْلِصاً تمامَ الإخلاصِ ، يَكونُ متفانياً لأقصى حدٍ**

wear the (pants / trousers) (see "**rule the roost**" & "**cock of the walk**") — **يَكونُ الآمرَ الناهي ، يصبحُ الحاكمَ بأمرِهِ** (عادةً في محيط المنزل أو الأسرة)

wearing *one's* birthday suit — **عَارٍ ، عُريانٌ**

weasel words — **كلماتٌ طنَّانةٌ تَتسمُ بالمراوغةِ**

well off (see "**well-fixed**" & "**well-heeled**")		ثَرِيٌّ ، مَوفورُ الحالِ
well-fixed (see "**well off**" & "**well-heeled**")		ثَرِيٌّ ، مَوفورُ الحالِ
well-heeled (see "**well off**" & "**well-fixed**")		ثَرِيٌّ ، مَوفورُ الحالِ
wet behind the ears		غَرٌّ ، تنقُصُه الخبرةُ <> ما زال طفلاً ، لم يَبْلُغْ بعد
wet blanket		شخصٌ يُنهي متعةَ النقاشِ (عادةً بسلبيتِه وكآبتِه)
wet *one's* **whistle** (see "**hit the bottle**")	*(S)*	يَتعاطى مشروباً (خَمْرٌ)
wet the baby's head	*(S)*	يَحتفلُ بميلادِ الطفلِ بشربِ الخمرِ (عادةً تَمتنعُ الأمُ أو الوالدان سوياً عن شربِ الخمرِ طوال فترةِ الحملِ)
whale of a *something*		رائعٌ ، عظيمٌ جداً
what a nerve! (see "**of all the nerve!**")		يا وقاحتَك! يا للوقاحةِ!
what do you do for a crust?	*(Br)* *(S)*	كيف تكسبُ عيشَكَ؟ كيفَ تعيشُ؟

wheel and deal
يَمهرُ في الإتجارِ والمداولةِ (عادةً مع تلاعبٍ وحيلٍ)

when it comes to the crunch (see "**(if / when) push comes to shove**")
عندما تحينُ ساعةُ الجَدِّ أو الفَصْلِ أو الحَسْمِ

when pigs (fly / have wings)
أبداً ، مستحيلُ الحدوثِ

when the chips are down
في أحلكِ اللحظاتِ ، في الأزمةِ الشديدةِ <> في نهايةِ المطافِ

where is the beef? *(Am)* *(S)*
ما هو المهمُ في هذا الأمرِ؟ ما هي الخلاصةُ؟

whet *one's* appetite
يُثيرُ شَهيّتَه ، يَفتحُ قريحته

whip round (see "**slate club**")
يَجمعُ بعضَ المالِ من عدةِ أشخاصٍ في التوِّ (عادةً بهدفِ تسديدِ دينٍ أو القيامِ بعملٍ)

whipping boy (see "**fall guy**") *(S)*
كبشُ فداءٍ <> شخصٌ سهلُ الخداع (عادةً يُلقي عليه الآخرون أعباءَهم أو مسؤولياتِهم)

whistle for *something*
يَطلُبُهُ بلا أملٍ ، يَستجديه بلا طائلٍ

whistle in the dark
يَستجمعَ شجاعتَه في وجهِ الشدائدِ ، يَستجمعُ قواه في مواجهةِ المِحَنِ

English		Arabic
whistle *someone* **down the wind**		**يَطْرُدُه ، يُبْعِدُه ، يَنفيه**
white bread	*(Am)*	**الطَبقةُ الوسطَى** (من الناسِ أو المجتمعِ)
white collar (see "**blue collar**")		**شخصٌ من طبقةِ رجالِ الأعمالِ**
white elephant		**حِمْلٌ ثقيلٌ ، عبءٌ شديدٌ** (تستخدم عادةً لوَصف أحدِ المُقتنيات أو علاقةٍ بشخصٍ ما والتي تُمَثِلُ عبئاً كبيراً على صاحبِها)
white pages (see "**yellow pages**")		**الصفحاتُ البيضاءُ** (دليلٌ لهواتف وعناوين الأشخاصِ والأعمالِ مُرَتَّبٌ أبجدياً)
white paper		**تقريرٌ رسميٌّ ، تقريرٌ حكوميٌّ**
whole-hearted (see "**half-hearted**")		**حَسَمَ أمرَه <> كلّهُ هِمّةٌ وحَماسةٌ**
widow's mite ***(He only has $200, and he gave $100 to the homeless! That's a widow's mite.)***		**إحسانٌ برٌّ <> صدقةٌ صغيرةُ القيمةِ ولكنها تُمثلُ تضحيةً عظيمةً من المتبرِعِ بها**
wild and woolly (see "**hell on wheels**")	*(S)*	**غيرُ محكومٍ ، كالغابةِ بلا قانونٍ** (بلدٌ أو مكانٌ يَسودُه قانونُ الغابِ)

wild goose chase		مطاردةُ السرابِ ، السعيُ لتحقيقِ أمرٍ بعيدِ المنالِ
willing to give *one's* ears		مستعدٌ للتضحيةِ بكلِّ شيءٍ ، مستعدٌ لبذلِ الغالي والرخيصِ
willy-nilly	*(S)*	برغبتك أو رغماً عنك <> بشكلٍ عشوائي
win by a nose		يَفوزُ بفارقٍ ضئيلٍ
win hands down		يَفوزُ بسهولةٍ بالغةٍ ، يَفوزُ بلا مجهودٍ
wine and dine		يَأكلُ ويَشربُ بإترافٍ <> يَتمتّعُ بمُتَعِ الحياةِ
wing it		يَرتَجِلُه ، يقومُ به بلا تجهيزٍ ، يُؤدّيه وليدَ لحظتِه
with a high hand		بسطوةٍ / بتسلّطٍ
with all *one's* might (see "**with might and main**")		بأشدِ ما يُمكنُه ، بأقصى طاقتِه
with an eye to *something* ***(I bought this 5-bedroom house with an eye to renting at least one room.)***		مع أخذِه في الاعتبارِ

with bells on (see "**gung ho**") — مُتَحَمِّسٌ ، تَوَّاقٌ ، مُتَلَهِّفٌ

with both barrels — بغضبٍ وانفعالٍ شديدين

with both hands and both feet ***(Tom is my best friend. Whenever I need his help, he jumps in with both hands and both feet.)*** — بكلِّ ما يَملكُ ، بأقصى طاقةٍ

with might and main (see "**with all** *one's* **might**") — بأقصى طاقةٍ ، بكلِّ عزيمةٍ

with *one's* **eyes (closed / shut)** (see "**with** *one's* **eyes open**") — بدونِ علمٍ بالمخاطرِ المُحتمَلةِ ، عن غيرِ درايةٍ بالعواقبِ

with *one's* **eyes open** (see "**with** *one's* **eyes (closed / shut)**") — بعلمٍ بالمخاطرِ المُحتمَلةِ ، عن درايةٍ بالعواقبِ

with *one's* **nose in the air** — بتغطرسٍ ، بتعجرفٍ

with *one's* **own fair hands** — بدونِ أي مساعدةٍ ، بنفسِه <> بعرقِ جبينِه ، مما كسِبت يداه

with *one's* **pants down** *(S)* — في وضعٍ لا يُحسدُ عليه

with *one's* **tail between** *one's* **legs** — كالرعديدِ ، كالجبانِ

with tongue in cheek	بسخريةٍ ، بتهكّمٍ ، باستهزاءٍ
within an ace of *(That car came within an ace of hitting him.) & (We arrived within an ace of missing the entire first half of the game.)*	بمسافةٍ قريبةٍ من <> بزمنٍ قليلٍ عن
without let or hindrance	بلا أي عوائق ، بمنتهى السلاسةِ
without so much as a by your leave	بدونِ حتى أن يستأذن ، بلا أيِّ استئذانٍ (تستخدم عادةً لوَصف تصرفِ شخصٍ بدون استئذانٍ لعلمِه أن طلبَه سيُرفضُ)
wolf in sheep's clothing	شخصٌ يتصنعُ البراءةَ
word for word	حَرْفِيّاً ، بالنَصّ
word of mouth	الكلامُ (عكس ما هو مكتوبٌ)
work both sides of the street	يَلعبُ على الطرفين ، يَكونُ بوجهين
work off *something* (see "**walk off** *something*")	يَتخلّصُ منه بالتدريبِ البدني

work *one's* **fingers to the bone** (see “**work** *one's* **socks off**” , “**work** *one's* **tail off**”) *(S)* يَكدحُ ، يَعملُ بكدٍ ، يَتفانى في عملِه

work *one's* **socks off** (see “**work** *one's* **fingers to the bone**” , “**work** *one's* **tail off**”) *(S)* يَكدحُ ، يَعملُ بكدٍ ، يَتفانى في عملِه

work *one's* **tail off** (see “**work** *one's* **fingers to the bone**” , “**work** *one's* **socks off**”) *(S)* يَكدحُ ، يَعملُ بكدٍ ، يَتفانى في عملِه

work up to *something* يَستعدُ له ، في طريقِه إليه

worried sick قَلِقْ جداً ، قَلِقْ بشكلٍ مرضيّ

worth *one's* **salt** فَعَّالٌ ، مؤثرٌ <> يَستحقُ ما دُفِعَ فيه

worth *one's* **weight in gold** مُفيدٌ جداً ، قَيِّمٌ جداً

wouldn't be seen dead ***(I wouldn't be seen dead in this shirt.) & (I wouldn't be seen dead with my brother's friends.)*** أبداً ولو على جثتي

wouldn't touch *something* **with a (barge / ten-foot pole)** يُستحسنُ البعدُ عنه ، البعدُ عنه غنيمةٌ

X, Y, Z

yadda yadda yadda (see "**blah blah blah**")		**تعبيرٌ عن الازدراءِ بما قِيلَ لسخافتِه ، تعبيرٌ عن الاستخفافِ بما قِيْلَ لسذاجتِه**
yellow pages (see "**white pages**"		**الصفحاتُ الصفراءُ** (دليلٌ لهواتفِ وعناوين الخدماتِ مُرَتَّبٌ أبجدياً حسبَ نوع الخدمةِ ثم حسبَ الاسمِ التجاريّ)
yellow-bellied	*(S)*	**جبانٌ ، رِعْدِيدٌ**
you can say that again		**هذا صحيحٌ تماماً ، اتفقُ معك تماماً**
young turk (see "**jack the lad**")		**شابٌ ممتلئٌ بالحَمِيَّة ولكن تنقُصُه الحنكةُ**
zero tolerance		**غيرُ مسموحٍ البتةَ بأي خطإٍ ، غيرُ مسموحٍ بأي انتهاكٍ للتعليماتِ**

Miscellaneous

86 <u>someone or something</u> ***(The project wasn't cost-effective, so they 86ed it.) & (That customer at the far right is totally drunk. No more alcohol. Just 86 him.)*** *(Am)* *(S)* **يَقضي عليه ، يَسحقُه <> يَمنعُه من شيءٍ ، يَأبى عليه شيئاً**